NA MINHA PELE

Lázaro Ramos

Na minha pele

3ª reimpressão

OBJETIVA

Grafia atualizada segundo o Acordo Ortográfico da Língua Portuguesa de 1990, que entrou em vigor no Brasil em 2009.

Capa
Alceu Chiesorin Nunes

Foto de capa
Bob Wolfenson

Pesquisa
Isabela Reis

Preparação
Mariana Delfini

Revisão
Márcia Moura
Clara Diament

Dados Internacionais de Catalogação na Publicação (CIP)
(Câmara Brasileira do Livro, SP, Brasil)

Ramos, Lázaro
  Na minha pele / Lázaro Ramos. – 1ª ed. – Rio de
Janeiro : Objetiva, 2017.

  ISBN 978-85-470-0041-7

  1. Atores negros – Brasil 2. Discriminação racial
– Brasil 3. Memórias 4. Negros – Brasil 5. Racismo
– Brasil 6. Reflexões 7. Televisão – Brasil I. Título.

17-03646   CDD-791.45028

Índice para catálogo sistemático:
1. Atores negros : Racismo : Reflexões   791.45028

[2017]
Todos os direitos desta edição reservados à
EDITORA SCHWARCZ S.A.
Praça Floriano, 19 — Sala 3001
20031-050 – Rio de Janeiro – RJ
Telefone: (21) 3993-7510
www.companhiadasletras.com.br
www.blogdacompanhia.com.br
facebook.com/editoraobjetiva
instagram.com/editora_objetiva
twitter.com/edobjetiva

Este livro é dedicado aos meus pequenos gigantes
João Vicente e Maria Antônia

Todos nós somos educados de uma maneira muito torta acerca do outro. O que a gente pode fazer é admitir que estamos em obras e ir corrigindo isso.

Emicida,
em entrevista para Lázaro Ramos
no programa *Espelho* em 2016

Prólogo
A saga do camarão

Este livro começou em 12 de outubro de 2007. Eu havia passado o dia anterior preso no aeroporto de Salvador por conta do apagão aéreo que assolava o país e estava com a mochila cheia de camarão seco, farinha, azeite de dendê e peixe frito que minha tia Elenita, que nós chamamos de Dindinha, insistiu para que eu levasse. Tinha medo de que tudo aquilo estragasse e o cheiro começasse a se espalhar pelo avião. Aterrissei no Rio com minhas iguarias intactas e segui direto para a reunião com a editora — que deveria ter acontecido na véspera, mas havia ficado para o fim da tarde daquele sábado. Comprei gelo na saída do aeroporto, que enfiei dentro de um saco junto com o camarão para ver se mantinha tudo fresco, e me encaminhei para lá.

Eu já tinha uma proposta na cabeça. Ou melhor, várias: um livro infantil baseado em uma peça que escrevi; um livro a partir de um texto que, além do nome ("A velha sentada"), só tinha oito páginas escritas; um livro com as entrevistas colhidas ao longo de três anos no programa *Espelho*,* que eu dirijo e até hoje apresento no Canal Brasil.

---

* Em 2017, o programa de entrevistas *Espelho* — idealizado, dirigido e apresentado por Lázaro Ramos no Canal Brasil — completa doze anos.

Foi aí que começou a aventura.

Todas as minhas ideias foram rejeitadas. E veio a provocação final:

— Por que não falar da sua experiência como ator negro?

As duas perguntas que mais fazem a um ator negro, além das básicas "Esse personagem é um presente para você?" e "Você prefere fazer teatro, cinema ou TV?", são:

— Sendo um ator negro, o que acha dessa coisa toda de racismo?

— Como é fazer um médico, arquiteto, surfista, Roque Santeiro, boêmio da Lapa, padre, gay ou seja lá quem for... negro?

Quando ouço essa última, sempre me dá vontade de responder algo bem esdrúxulo, do tipo: "Não sei, pois nunca fiz um médico, arquiteto, surfista, Roque Santeiro, boêmio da Lapa, padre, gay ou seja lá quem for... verde".

Às vezes, e sei que você que me lê agora também faz isso, no meio de uma conversa viajo para um universo paralelo e lembro ou imagino coisas. Neste momento, o universo paralelo se abriu e me lembrei de um papo que tive com Wagner (o Moura) depois que nos mudamos de Salvador para o Rio — ai, meu Deus, tá começando a cheirar forte o camarão —, em que ele, meio entristecido, disse que estava cansado, pois só era chamado para fazer papéis de bandido ou nordestino.

— E eu, brother, que só sou chamado para fazer negro? Você, pelo menos, ainda tem duas opções — brinquei.

Aterrissei de volta para a sala de reunião e fiz logo uma piada, daquelas com fundo de verdade.

— Só se o livro se chamar "É a última vez que falo sobre isso".

Talvez eu tenha conseguido fazer a piada porque, àquela altura, eu já estava me sentindo satisfeito com o fato de ter na televisão um programa como o *Espelho*, em que a liberdade é total. Sem o filtro de ninguém e no tom que nos conviesse. Falar sobre questões raciais num livro estava fora de cogitação. Ou talvez eu estivesse sentindo o temor de ter mais uma vez um branco na chefia controlando o que eu pensava. Me pareceu mais sábio continuar a ter a liberdade do *Espelho* do que o filtro de outra voz.

Voltei para casa com os pensamentos martelando na cabeça. Não dá, é muita exposição. Será que sei mesmo falar sobre esse assunto? Se for tentar, tem que ser no mesmo tom do programa. Faria esse livro com humor e poesia. Será que coloco dreadlock de novo?

Só no dia seguinte percebi que, no caminho de volta, tinha esquecido minhas coisas da Bahia em algum lugar. Tomara que quem achou pelo menos tenha gostado da farinha e do peixe de Dindinha.

Depois de ouvir deus e o mundo, voltei à editora. Dessa vez, me pediram que contasse mais sobre a ilha de onde vem minha família. Tinham pensado melhor e, talvez, em um primeiro livro, eu devesse falar de mim.

Quase me levantei da cadeira, como um touro preparado para dar uma chifrada. Biografia nem pensar! Isso é um mico, eu sou muito jovem para falar sobre minha vida. Sou uma exceção, e história de exceção só confirma a regra. Fazer mais um livro sobre o ponto de vista de uma exceção não ajuda em nada a questão da exclusão dos negros no Brasil. Meu Deus, como fazer um relato quase autobiográfico sem tornar o texto uma apologia a mim mesmo e a meus pares um pouco mais bem-sucedidos?

Só muito tempo depois surgiram os primeiros esboços deste livro. Afinal, por que não?

Nos anos que se seguiram, realizei uma verdadeira viagem no processo de escrita. Todos os meus convidados do *Espelho*, sem exceção, me ajudaram com informações, histórias, e me deram a real dimensão da minha ignorância e falta de vivência sobre vários assuntos. Me identifiquei (sem me comparar, é claro) com passagens da biografia de Luiz Gama, o advogado também negro e baiano, e perturbei todo mundo dizendo para lerem o romance *Um defeito de cor*, da Ana Maria Gonçalves.* Me emocionei ao escutar as histórias dos meus parentes mais velhos. Dei muitas risadas ao relembrar as aventuras com meus companheiros de teatro e os amigos de infância do bairro do Garcia.

O *Espelho* foi o grande marco. Surgiu a partir do *Cabaré da raça* (1997), espetáculo criado e encenado pelo Bando de Teatro Olodum, grupo no qual entrei aos dezesseis anos, em Salvador. O programa estreou na TV quando já fazia cinco anos que eu estava longe do Bando, morando no Rio. Ou seja: teve início num período em que eu já não estava mais tão próximo dos meus pares, aqueles que compartilhavam comigo uma determinada visão sobre alguns aspectos da questão racial no Brasil.

Ter passado a conviver com pessoas que não refletiam sobre o racismo no seu dia a dia me fez buscar argumentos para inserir esse tema nas conversas. Queria que elas percebessem o que para mim era tão claro. Queria dividir sem medo minha sensação de entrar num restaurante e ser o único negro no lugar. Queria mostrar as riquezas da cultura afro-brasileira, da qual eu tanto me orgulho e que é tantas vezes ignorada.

A experiência no *Espelho* me dizia que havia acontecido uma mudança de atitude e eu identificava nos negros uma vontade de não "ficar na queixa". A palavra "identidade", que passou a aparecer com cada vez mais frequência, calou fundo em mim. Ao mesmo tempo, comecei a ter a clareza de que essa não é uma "questão dos negros". É uma questão de qualquer cidadão brasileiro, ela

* Ana Maria Gonçalves, *Um defeito de cor*. Rio de Janeiro: Record, 2009.

diz respeito ao país, é uma questão nacional. Para crescer, o Brasil precisa potencializar seus talentos, e o preconceito é um forte empecilho para que isso aconteça. Vamos buscar soluções efetivas para transformar essa situação?

Esta viagem que começa aqui só é possível porque redescobri um mundo que é meu, mas que não pertence só a mim. Ele é parte de uma busca que todos nós devemos fazer para compreendermos quem somos. Por isso, sempre que eu falar de mim neste livro, estarei também falando sobre você. Ou, ao menos, sobre essa busca saudável por identidades.

Os momentos que soarem mais autobiográficos estão aqui apenas para servir de fio condutor da viagem que fiz para destrinchar esse tema. Se posso fazer alguma sugestão, aconselho que abra este livro não para encontrar minha biografia, mas para ouvir as vozes dos que estão ao meu lado. Estas páginas foram elaboradas por várias vozes. É uma narrativa capitaneada por mim, mas que conta com a contribuição de uma série de personagens — alguns famosos e muitos anônimos —, que se reúne aqui para construir um caudaloso fluxo de informações, sentimentos e reflexões. São pessoas de diferentes idades, profissões, gênero e religiões.

Uso esta espécie de apresentação para dizer que ainda tenho muito a aprender e que eu sei que ainda há muitas respostas a buscar fora e dentro de mim. Não sou um acadêmico ou um pensador com trabalhos voltados para esta temática, e nunca pretendi expor aqui um estudo, mesmo que informal, sobre as questões raciais no Brasil.

Sei que encontrei em você uma companhia, que escolheu este livro numa livraria, ou o ganhou de presente de um amigo que não teve tempo de procurar outra coisa, ou quem sabe você o encontrou jogado num canto e começou a folheá-lo por acaso. Quem é você? Provavelmente nunca saberei, mas o importante é que o milagre aconteceu e agora estamos juntos, vestindo a mesma pele, esta pele que viaja conosco e que nos antecede.

Espero que aqui você dialogue prazerosamente com outras pessoas. Com elas, além de ter aprendido muita coisa, organizei ideias, pontos de vista e percepções a respeito de como somos afetados individual e coletivamente por simples gestos (sejam eles positivos ou negativos).

A linha que costura este livro é a minha formação de identidade e consciência sobre esse tema, mas que, no fundo, é só um artifício para falar de todos nós.

Por enquanto é isso.

Boa viagem.

P.S.: Anos depois, um taxista me disse de forma efusiva: "Grande Álvaro Gomes (sim, ele errou meu nome), é a segunda vez que levo você no meu carro. Da última vez você estava caladão e até esqueceu um pacote com cheiro de bacalhau no porta-malas". Eu imediatamente perguntei: "E você fez o que com o pacote?". "Sabe que nem lembro?"

A ilha

Mãe, você morreu em 21 de julho de 1999. A partir desse dia passei um ano sem motivação. Um ano inteiro. Nesse período eu percebi que fazia as coisas para ver seu sorriso, e sem ele nada mais fazia sentido. Seu último ano aqui na terra foi doloroso, mas nós estávamos juntos, o que faz a dor ser o que menos lembro. Lembro mesmo é do seu sorriso.

Muita coisa mudou desde então. Seu menino magrelo percorreu muitos caminhos. E, mesmo depois de tanto caminhar, ainda me pergunto quem sou eu, como se ainda estivesse naquele primeiro ano sem você. Comecei, mãe, uma jornada para descobrir um pouco da minha, da nossa origem. Talvez você pudesse me contar muito sobre essas coisas ou até me falar do que você viveu, mas você partiu cedo e deixou esse oco.

Não começo falando com você que me acompanha nesta viagem porque qualquer bom filho que saia para uma aventura como esta, segundo minha sábia avó Edith, precisa deixar uma mensagem para a mãe. Por isso, antes de partirmos, precisei dizer essas palavras para ela, Célia Maria do Sacramento, minha mãe.

Poder dizer isso para ela é mais um passo na minha formação. Aliás, "poder dizer" já é um privilégio, não acha? Viajemos, então. Toda boa viagem começa numa ilha, pelo menos pra mim. Amo as ilhas como amo me lembrar das mãos da minha mãe.

Minha história começa numa ilha com pouco mais de duzentos habitantes, na baía de Todos os Santos. Uma fração de Brasil praticamente secreta, ignorada pelas modernidades e pelos mapas: nem o (quase) infalível Google Maps consegue encontrá-la. É nessa terra minúscula, a Ilha do Paty, que estão minhas raízes. O lugar é um distrito de São Francisco do Conde — município a 72 quilômetros de Salvador, próximo a Santo Amaro e conhecido por sua atual importância na indústria do petróleo. Na ilha, as principais fontes de renda ainda são a pesca, o roçado e ser funcionário da prefeitura.

No Paty, sapatos são muitas vezes acessórios dispensáveis. Para atravessar de um lado para o outro na maré de águas verdes, o transporte oficial é a canoa, apesar de já existirem um ou outro barco, cedidos pela prefeitura. Ponte? Nem pensar, dizem os moradores, em coro. Quando alguém está no "porto" e quer chegar até o Paty, só precisa gritar: "Tomaquê!".

Talvez você, minha companhia de viagem, não saiba o que quer dizer "tomaquê". É uma redução, como "oxente", que quer dizer "O que é isso, minha gente". Ou "Ó paí, ó", que é "Olhe pra isso, olhe". Ou seja, é simplesmente "Me tome aqui, do outro lado da margem". É muito mais gostoso gritar "Tomaquê!".

Assim, algum voluntário pega sua canoa e cruza, a remo, um quilômetro nas águas verdes e calmas. Entre os dois pontos da travessia se gastam uns quarenta minutos. Essa carona carrega, na verdade, um misto de generosidade e curiosidade. Num lugar daquele tamanho, qualquer visita vira assunto, e é justamente o remador quem transporta a novidade.

Até hoje procuro visitar a ilha todos os anos. Gosto de entender minha origem e receber um abraço afetuoso dos mais velhos. Vou também para encontrar um sentimento de inocência, uma felicidade descompromissada, que só sinto por lá.

Graças à sua refinaria de petróleo, São Francisco do Conde é um dos municípios mais ricos do país. Durante muito tempo, de acordo com o IBGE, era lá que estava um dos maiores PIBs do Brasil. Essa dinheirama, porém, não chega até o cotidiano de quem mora no Paty. Eles até conseguem ver vantagens na vida simples que levam: como não há violência, não há polícia na ilha, e as portas das casas estão sempre abertas para quem quiser entrar. O que faz falta mesmo é a água encanada. Para tudo: dar descarga nos banheiros, lavar pratos e roupas, tomar banho.

Não faz muito tempo, luz também era luxo. Na minha infância, a energia elétrica vinha de um único gerador, usado exclusivamente à noite, quando os televisores eram ligados nas novelas. As janelas da casa de meu avô, que teve uma das primeiras TVs do Paty, ficavam sempre cheias de gente. Era o nosso cineminha.

A ilha abriga, basicamente, quatro famílias — os Queiroz, os Amorim, os Ramos e os Sacramento. Foi lá que meus pais cresceram e se conheceram, Célia Sacramento e Ivan Ramos. Hoje, como numa aldeia indígena, todo mundo no Paty é meio parente, meio primo. Já tentamos fazer uma árvore genealógica, mas foi tão difícil que desistimos no meio do caminho. São muitas interligações e, para complicar, os moradores se libertam da formalidade dos documentos e usam outros nomes. Eles só se tratam por apelidos curtos, muitas vezes engraçados. Meu avô paterno era Carrinho (de Carlos). Tinha um tio Piroca (de Pedro). E há vários outros diminutivos e abreviações que nem sei de onde vêm: Pombo, Rolinha, Mirôca, Guelé, Tuzinha, Zuzu, seu Neca, Quido... Seguindo a tradição, meus familiares me chamavam — e ainda me chamam —, de vez em quando, de Lu ou de Lau.

E de onde surgiram essas quatro famílias? Praticamente não há registros oficiais dessa história, que conto como ouvi da parentada. O enredo é cheio de lacunas e interrogações, mas uma coisa é certa: todas as famílias do Paty têm origem negra ou indígena, como se vê na tez e nos traços de sua população. As lendas são muitas na ilha: de lobisomem, caipora e até de um pacato morador misterioso chamado seu Mano, que não se sabe se chegou lá de canoa ou vindo do oco de uma árvore. A lenda da povoação da ilha diz que aquele pedaço de terra foi dado, na segunda metade do século XIX, a um certo Constâncio José de Queiroz pelo barão de Paramirim, um conhecido militar e fazendeiro da região, que não tinha herdeiros. Esse passado embaralhado, não registrado, pode esconder algum segredo de família ou simplesmente encobre detalhes de como foi feita a posse da terra.

Algumas versões dão conta de que Constâncio era capitão do mato. Para quem não sabe, já que as aulas de história por muito tempo envernizaram a escravidão, capitão do mato era uma espécie de caçador de fujões das senzalas, no período da Colônia e do Império. Pois bem, na versão que diz que Constâncio era um desses capitães do mato, conta-se que a ilha lhe foi dada como recompensa por seu trabalho. Em outra versão, Constâncio era filho bastardo do tal barão. Quem me contou isso foi meu tio Mirôca, lenda viva do Paty, que tem seus oitenta e tantos anos e não sei se está lá muito bem da memória.

Mais acesas entre as recordações dos mais velhos estão as figuras de Virgílio e Pedro, filhos de Constâncio. Segundo Dindinha, que hoje tem 92 anos e uma memória de elefante, Virgílio era um homem moreno, alto, simpático, com costeletas grandes e bigode encaracolado. Uma mistura de Wolverine com dom Pedro I. Já Pedro era um homem igualmente elegante, mas muito reservado, sabe-se pouco sobre ele. Ao escutar sobre tio Pedro, lá no fundo da minha memória me lembro dele. Mas como só o vi poucas vezes e provavelmente com dois ou três anos de idade, nada mais consigo contar. Bem, eles ficaram sendo os donos das terras do Paty.

Há diversos moradores do Paty que ninguém tem ideia de onde vieram. Como Veridiano, meu bisavô materno. Ele é descrito por tia Alzira, minha querida tia que criou minha mãe, como um negro imponente. Todas as manhãs ele se arrumava, colhia uma flor e dava a volta na ilha com a flor presa ao peito. No fim do passeio, jogava o ramo nas águas do mar. Essa imagem é para mim a mais forte sobre nossa origem. "Ele achou aquela terra e aquela terra o achou", resumiu tia Alzira.

A origem de Buri, meu trisavô paterno, também é desconhecida. Provavelmente, moradores como ele e Veridiano tinham sido escravizados ou descendiam de escravizados fugidos. Há algumas pistas. O Paty era o cenário ideal para os negros escravizados ou os que tinham acabado de conquistar sua liberdade, pois era tomado pela Mata Atlântica, lugar perfeito para se embrenharem, e oferecia a possibilidade de viverem da mariscada ou da criação de animais, como porcos e galinhas.

Lá existia um casarão que ficava na parte mais alta da ilha, com vista panorâmica para o mar. A casa-grande tinha vários quartos e passagens, e em uma das salas, o piso era de madeira com uma abertura que dava em um porão. Segundo os mais velhos, era ali que eram colocados os escravizados. A quem pertenceu esse casarão, não se sabe. Lamento o tanto que se perdeu por falta de registros. As técnicas de sobrevivência e de construção, as plantas curativas, os rituais, tudo isso era conhecimento. Se ali era um lugar de ausências, com certeza também era um lugar de possibilidades. Se o caminho fosse outro, no que aquilo tudo poderia ter se transformado, o que eles poderiam ter se tornado? Esse saber e essas possibilidades com certeza perdemos por falta de registro e de valorização.

Mas ficaram pistas, e o ritual diário de Veridiano pode ser um sinal. Os eventos abolicionistas eram chamados de "batalhas das flores". O Quilombo do Leblon, por exemplo, instituiu a camélia como símbolo antiescravista. Quem defendia a libertação dos escravos usava camélias na lapela, e assim os fugitivos podiam identificar ajuda nas ruas. Muitas personalidades importantes, como Rui Barbosa, usavam a flor ou a cultivavam no jardim de sua casa como forma de protesto. Nunca terei certeza se esse era o caso de Veridiano, mas quem sabe? Observem que os imigrantes europeus geralmente sabem descrever com detalhes suas histórias e erguem museus para preservar a memória de seu povo. Onde estão a valorização e a preservação da nossa?

Zebrinha,* meu mestre artístico e de vida, que me ensinou muito sobre ser um homem correto, ser negro, ser artista, e que, por acaso, é coreógrafo do Bando e padrinho da minha filha; Zebrinha, meu colo e meu alento nas horas de desespero; Zebrinha me disse que às vezes nossos mais velhos tinham vergonha de seu passado, por causa de seu sofrimento. É por isso que nossa história fica com essas brechas.

Paty se escreve assim, com Y mesmo, graças a um coqueiro bipartido que ficava no quintal da casa de tia Alzira e acabou

* José Carlos Arandiba nasceu em 1954, em Ilhéus, na Bahia. Estudou dança na Holanda, nos Estados Unidos e na Suécia, e integrou diversas companhias internacionais de dança. Atualmente é diretor artístico do Balé Folclórico da Bahia. Coordena e coreografa as montagens do Bando de Teatro Olodum desde 1992.

virando ponto turístico. Talvez algum dia tenha sido com I, não sei. O coqueiro também era logomarca das canecas dos festivais de chope que aconteciam na ilha nos anos 1980, me lembro bem. O clima no Paty sempre foi lúdico e divertido, e a religiosidade é outro traço importante de seu cotidiano. O padroeiro dos moradores é São Roque. Tudo começou quando uma doença de pele se espalhou pela ilha e eles prometeram ao santo que seria erguida uma igreja em sua homenagem se o surto desaparecesse — e assim foi feito. Apesar de a capela ser católica, as cerimônias têm certa influência africana, principalmente o som de percussão acompanhando as músicas. No sincretismo, São Roque é o orixá Omolu, e essa presença da percussão e de atitudes "não católicas" é naturalmente do candomblé. Quando criança, eu achava as missas tão animadas que certa vez gritei entre uma oração e outra: "Padre, toca uma lambada!". Todo mundo caiu na gargalhada.

A igreja de São Roque é até hoje meu lugar predileto do Paty — não exatamente por motivos religiosos, mas pelas memórias que guardo de seu entorno. Como está fincada no alto de um morro, distante dos olhos dos adultos, era para lá que a criançada gostava de ir para namorar ou comer mococona e pitomba roubadas do quintal de alguém. Eu não sei se há outros nomes para essas duas frutas que provavelmente você nunca viu e talvez nunca veja. A mococona é verde, tem uns três caroços encobertos por uma casca e é pequena. A pitomba é uma frutinha às vezes verde, às vezes roxa. Para chegar até a igreja, era preciso passar pela casa de dona Duda, a única moradora branca da ilha. Curandeira, ela despertava uma curiosidade enorme em mim. "Será que vou ver alguém incorporado quando passar pela sua porta?", ficava pensando. Hoje o caminho está muito mudado. Dona Duda já morreu faz tempo, e a igreja ganhou concorrência: no morro em frente, foi erguida uma Assembleia de Deus.

Pois então, todos os anos, no mês de setembro, a turma do Paty se reunia para comemorar o Dia de São Roque. Era um grande acontecimento entre os parentes, inclusive os que já tinham se mudado do Paty. Passávamos o fim de semana da festa no mangue, catando siri, caranguejo, béfun (um tipo de vôngole) e ostra, que eu e meu pai comíamos direto da pedra, temperando apenas com limão.

Na casa em que meu avô Carrinho e minha avó Edith moravam, faltava espaço para acomodar tanta gente. O jeito era arrumar um colchãozinho embaixo da mesa, uma rede do lado de fora, dividir uma cama de casal com mais quatro. Inúmeras vezes eu dormi assim, com vários primos e primas ao meu lado, fazíamos uma bagunça. À noite, nossa grande diversão era contar histórias em roda, como uma roda griô africana.* Não tenho dúvidas de que vêm do Paty meu jeito bem-humorado, minha inclinação para piadas e o apego ao deboche baiano. Nossos encontros familiares sempre foram assim.

A cultura da ilha é muito particular. As festas são sempre embaladas pelo samba do Recôncavo Baiano, que tem uma batida quebrada, um molejo diferente. Quem dança mexe só as cadeiras e toca o chão com os pés de uma maneira delicada, parece flutuar. As festas, na verdade, eram um momento de encontro, principalmente para os que já tinham se mudado do Paty. As

---

* A palavra "griô" designa, em alguns países africanos, aqueles que transmitem para os mais jovens os conhecimentos e as tradições ancestrais por meio da oralidade. O griô é o guardião e o transmissor da história de seu povo. Amadou Hampâté Bâ diz que existem alguns tipos de griôs: os músicos (cantores e compositores), os embaixadores (mediadores) e os genealogistas (contadores de histórias, poetas ou historiadores). Amadou Hampâté Bâ, "A tradição viva". In: UNESCO, *História geral da África*. Brasília: Unesco/MEC/UFSCar, 2010. v. 1, pp. 167-212.

casas ficavam cheias, porque todo mundo levava os amigos, alguns chegavam até com barracas de acampamento. Era forte o sentimento de alegria daquelas pessoas. Também era intensa a sensação de orgulho. Não era à toa que, a cada ano, levávamos sempre um novo amigo. Hoje eu definiria essas festas como uma espécie de representação de pertencimento, pois eram um momento em que nos organizávamos e celebrávamos nossas raízes. Para que a comissão organizadora da festa de setembro pudesse conseguir dinheiro, realizava-se um leilão. Cada morador oferecia um brinde, que podia ser desde uma bandeja de peixe frito até um eletrodoméstico ou outro objeto qualquer. Além disso, havia o chamado livro de ouro, em que cada um assinava o valor que podia oferecer. E assim a festa era viabilizada.

A festa mais criativa que os moradores já inventaram chamava-se Comédia. As primeiras edições foram organizadas quando meus avós eram adolescentes e, infelizmente, a última aconteceu em 2001. As músicas compostas para a comemoração eram populares, até meio ingênuas. Cantava-se em homenagem às flores, às frutas, aos meses do ano. Hoje, mais velho, vejo que aquela era uma forma intuitiva de registrar o patrimônio natural e histórico do Paty.

Em um dos números musicais, batizado de Paparutas (nome que deve derivar de "papa", comida), as mulheres preparavam receitas típicas da Bahia, como vatapá, caruru e mungunzá. Depois dançavam com as panelas na cabeça e exaltavam as qualidades dos ingredientes da receita. Ao final, todo mundo comia. Era uma delícia. Foram várias gerações de Paparutas: minha tia-avó, minha mãe Célia e muitas primas participaram da encenação. Outra música da Comédia que volta e meia relembro é a do Feio. A letra fala de um homem que é chamado de feio e agradece. Era assim: "Você é feio. Muito obrigado! Você é feio. Muito obrigado! Um belo dia eu fui ao barbeiro mandar fazer a barba e cortar o meu cabelo. O barbeiro olhou para a minha cara e disse: Não corto, não. Mas que sujeito feio! Você é feio. Muito obrigado!". Não sei quem é o compositor, mas acho essa letra sensacional. É uma forma inteligente e engraçada de abordar o tema da autoestima.

Na ilha, ser negro não era uma questão. Com sua população majoritariamente parecida comigo, o Paty me deu a possibilidade de não ter de pensar nesse assunto, pelo menos não muito cedo. Nasci em 1978, quando o Black is Beautiful* norte-americano já tinha desembarcado no Brasil e ganhava força em Salvador. Quatro anos antes, o Ilê Aiyê fora formado na Liberdade — bairro da capital baiana conhecido por sua população predominantemente negra —, levando o orgulho das raízes africanas para o Carnaval. E com uma conexão que me alimenta: o Ilê Aiyê foi fundado em 1º de novembro, que é a data do meu aniversário. Quatro anos separam o meu nascimento do surgimento desse bloco afro que canta a beleza negra. Para mim, uma conexão muito forte para ser ignorada.

Quando eu tinha entre oito e dez anos, o Carnaval por vezes me assustava. Provavelmente porque eu ficava do lado de fora das cordas, no meio da pipoca. Mas também me trazia uma sensação de pertencimento, mesmo quando suas cordas e camarotes me diziam que aquela festa não era tão minha assim. Eu me encontrava na alegria e no entrosamento das pessoas que caminhavam pelas avenidas envoltas em mortalhas e confetes. Minha mãe, sempre que podia, me levava para ver a folia. Colocava um colar havaiano em meu pescoço e um mamãe-sacode em minhas mãos, e lá ia eu — não tão animado com a festa, mas muito atento à alegria de minha mãe por estar comigo celebrando o começo de um novo ano. (Como vocês sabem, o ano só começa depois que o Rei Momo permite.)

---

* Movimento cultural negro iniciado nos anos 1960 nos Estados Unidos.

Aos doze anos fui levado por meu pai para o Campo Grande, na área central onde os blocos passavam. Lá, entre muito suor, cerveja, beijos e colares do Gandhy, algo penetrou minha pele sem que eu notasse. Tímido, eu não me permitia dançar. Acompanhado do meu pai, que também era tímido, nem um sacolejo saía. Olhávamos os blocos, ele com uma latinha de cerveja, eu com um geladinho (ou sacolé, big-bem, picolé de saco, legalzinho, chupe-chupe ou brasinha, dependendo de onde você mora). Foi nesse dia que ouvi algumas das músicas que me fizeram ter um pouco mais de amor por mim mesmo.

O Ilê Aiyê passou e cantou:

Me diz que sou ridículo,
Nos teus olhos sou malvisto,
Diz até tenho má índole
Mas no fundo
Tu me achas bonito, lindo!
Ilê Aiyê

[...]

Todo mundo é negro,
De verdade é tão escuro,
Que percebo a menor claridade,
E se eu tiver barreiras?

Pulo, não me iludo, não,
Com essa de classe do mundo,
Sou um filho do mundo,
Um ser vivo de luz
Ilê de luz

E o bloco emendou com outra, no repicar dos tambores.

Não me pegue, não, não, não
Me deixe à vontade
Não me pegue, não, não, não
Me deixe à vontade
Deixe eu curtir o Ilê
O charme da Liberdade

As cores amarelo, vermelho, branco e preto das roupas, que fizeram meus olhos lacrimejarem, agora eram minhas cores também. Como a música dizia, já queria ficar à vontade. Outra cerveja para o meu pai, um pirocóptero pra mim, e eis que surge o cantor Gerônimo, puxando a plenos pulmões: "Eu sou negão!". E a multidão respondia: "Meu coração é a liberdade!".

Eu gritei também: "Meu coração é a liberdade!".

Naquela época, apesar da autoestima que minha família nos deu, não gritávamos a plenos pulmões que éramos negros. Dizíamos "A gente, que é *assim*". Eu sussurrei "Meu coração é a liberdade" várias vezes enquanto caminhava de volta para casa com meu pai.

Fiquei muito tempo sem voltar a sair no Carnaval, mas esses gritos de afirmação, que até então eu nunca tinha escutado, não saíram mais da minha cabeça.

Acionei o pirocóptero e voei com ele.

Voltando à ilha: apesar da proximidade geográfica, o Paty continuou distante dessas manifestações dos movimentos negros e dos significados de blocos como o Ilê Aiyê. Sem dúvida, existia uma proteção naquela vida. Não que a rotina dos moradores

26

fosse fácil, longe disso: pescar e plantar debaixo de sol a pino, viver com pouquíssimos recursos, levar horas para chegar até um hospital — todos esses eram (e ainda são) obstáculos diários. Por outro lado, não era preciso enfrentar um anúncio de emprego que exigia "boa aparência". Nos anos 1970, todo negro sabia o que essa expressão queria dizer.

Na ilha, o conceito de beleza era o nosso. Cresci com minha mãe e minhas tias dizendo que eu era lindo. Não tinha ideia se seria discriminado ou se as minhas escolhas ficariam mais difíceis por causa da cor da minha pele. O que eu entendia eram as limitações de uma família com pouco dinheiro. Em geral, todo mundo tinha o sonho de trabalhar na indústria de petróleo da região. Ir além dessa linha parecia difícil. Outros limites também se mostravam quase impossíveis de ultrapassar. Eu me perguntava, criança, se algum dia andaria de avião. Ou se era possível comprar, para fazer uma feijoada, mais de uma calabresa. Seja lá qual o tipo, nós chamávamos toda linguiça de chouriça. Parece piada, mas só descobri a distinção recentemente, já adulto. Na minha casa, comprava-se uma só chouriça, que era dividida entre toda a família — dava uma rodelinha para cada um. Por muito tempo, já morando no Rio de Janeiro, eu nem cogitava comprar duas, três unidades do embutido suíno. Só aos 31 anos percebi que essa regra da calabresa não existia, estava na minha cabeça. São marcas que ficam gravadas como tatuagem e nem sempre percebemos qual é o seu efeito em nós. Por isso, digo sempre aos meninos e meninas que têm origem parecida com a minha: não há vida com limite preestabelecido. Seu lugar é aquele em que você sonhar estar.

Quero ser médico

Assim como acontece em várias famílias brasileiras, na minha há uma prática comum: quem ascende socialmente numa capital (no nosso caso, Salvador) acaba "puxando" os parentes do interior. No meu lado paterno, quem cumpriu esse papel foi Dindinha, tia-avó de meu pai. Ela, aliás, levou esse costume ao extremo: recebeu nada menos que dezenove sobrinhos na sua casa, no bairro da Federação. E esse número ainda não está fechado, porque ela continua acolhendo os mais jovens por lá. Dindinha é uma senhora de 92 anos, de porte delicado e temperamento indomável. Todas as gerações da família admiram seu espírito altivo e generoso. E também a maravilhosa empada que ela gosta de preparar — uma receita que ela não revelou a ninguém até hoje, mesmo porque eu acho que ela vai mudando com o passar do tempo.

Dindinha nasceu no Paty e começou a trabalhar na roça e no mangue ainda criança. Aos dezesseis anos, decidiu tentar a vida na capital como empregada doméstica na casa de dona Miúda, uma conhecida da família que vem a ser mãe de Carlos Alberto Caó. Caó foi deputado e autor da lei de 1985 que penaliza com prisão e multa os crimes relacionados aos preconceitos de raça, cor, sexo ou estado civil.* Mais pra frente voltarei ao Caó. Dona Miúda era costureira e casada com seu Themístocles, que chamávamos de seu Temista, um marceneiro. Quando Dindinha chegou a Salvador, o emprego não tinha sido muito bem acertado e outra moça já trabalhava para o casal. Mas ela foi insistente e pediu para aprender a costurar com a dona da casa. E assim foi: Dindinha passou a morar com dona Miúda, de quem recebia também um dinheirinho. Elas viraram boas amigas e minha tia-avó começou a ganhar a vida como costureira.

Depois de sete anos em Salvador, Dindinha terminou com o namorado que tinha deixado no Paty. Assim que soube da novidade, Lindú — chamado por nós de Dudu —, irmão de dona Miúda, entregou um presente a Dindinha: uma caixa de sabonetes e um bilhete dizendo assim: "Eu lhe dei um presente para você me dar outro até o fim da vida". Dudu era um estivador grandão e muito sereno. Foi um dos fundadores do Filhos de Gandhy, afoxé criado por trabalhadores das docas no fim dos anos 1940.

Minha tia e Dudu nunca tiveram filhos. Naquele tempo, o trabalho no porto pagava bem e os dois poderiam ter desfrutado de uma vida boa, mas decidiram abrir as portas de casa para os familiares. A generosidade de Dudu e de Dindinha me impressiona até hoje. A casa deles virou uma espécie de porto seguro para todos.

Posso dizer que a educação de Dindinha deu certo. Ela costumava dizer, se gabando: "Eu sempre chamo a atenção quando os meninos daqui de casa estão errados. Mas eles quase nunca erram, eles me obedecem". Um dos primeiros a morar com ela foi meu pai. Ele teve casa, comida, roupa lavada e praticamente

* Lei 7437, de 20 de dezembro de 1985, disponível em: <www.planalto.gov.br/ccivil_03/Leis/L7437.htm>. Acesso em: 20 fev. 2017.

mais nada. Caderno para os exercícios da escola? Às vezes, era papel de embrulhar pão.

Ele nunca me contou isso com ar de heroísmo, mas entendia as dificuldades como uma fase da vida que não o impediu de batalhar para melhorar. Meu pai conseguiu ter uma boa formação porque, intuitivamente, apostou na educação como a melhor maneira de ascender. Quando terminou o curso secundário foi trabalhar como operador de máquinas num dos principais polos petroquímicos do país, que fica em Camaçari, a uma hora e meia de Salvador.

Aqui vou dar uns saltos... Meus pais tiveram um namorico. Minha mãe engravidou. O relacionamento terminou. Mas de forma amistosa. Os dois estiveram igualmente presentes na minha criação. Ela sempre muito bem-humorada: afetividade. Ele sempre muito rigoroso: responsabilidade. Já estabelecido profissionalmente, meu pai pensou: "Com o que ganho, o que posso dar de melhor ao meu filho é estudo. Se deu certo comigo, vai dar com ele também".

Aos cinco anos, após já ter morado em uns três pontos cardeais de Salvador, segui os passos de meu pai e fui viver com Dindinha. Minha mãe era empregada doméstica e trabalhava numa casa próxima, também no bairro da Federação. A gente se via nos fins de semana e vez ou outra eu passava as noites com ela no seu pequeno quarto no apartamento da patroa. E lá ia eu, que não era um retrato do bebê Johnson, mas sim o meu próprio retrato: fraquinho, magro, asmático e cheio de caroços pelo corpo. Foi só depois de um tempo na casa de Dinda que os problemas de pele e o cansaço pela asma tiveram fim. Em vez de usar aquele creme antiassaduras ultraespecial e supersônico, Dinda sempre botou fé no poder curativo das plantas. Para mim, preparava uma mistureba que levava agrião, pitanga, cravo, mel e rapadura para o sistema respiratório. Para acabar com os caroços, ainda me dava banhos com folhas de crista-de-galo, todas colhidas do seu quintal. Até hoje tenho saudade desse quintal, um espaço pequeno, mas, aos meus olhos, gigantesco. Lá havia muitas plantas que eram usadas para fazer chá ou rezar — e eu sabia o nome de todas elas. Minha família tem crenças múltiplas. Meu nome é uma homenagem a São Lázaro, cuja igreja em Salvador, bastante sincrética, fica próxima à casa de Dinda. Eu a acho fascinante até hoje, pois, apesar de ser católica, tem sempre alguém em sua porta tomando banho de pipoca, um ritual típico do candomblé. Também frequentei a igreja evangélica com meu avô materno Renato (Natinho), que me disse certa vez que, se eu não me convertesse até os doze anos, já não estaria mais puro para entrar no Céu. Me desesperei, pois estava com treze. Então fui. Durei apenas três dias, porque os gritos não me deixavam escutar Deus direito. Ainda assim, tinha algo de misterioso ali, algo que me intrigava. Também tomei banho de luz no espiritismo com minha mãe, aplicação de Johrei com uma prima...

Já Dindinha e Dudu eram do candomblé. Ele, sentado em sua poltrona predileta, forrada de couro vermelho escuro, cantava: "Ajagunããã... Ajagunããã...". Dindinha ficava ao seu lado, num banquinho de madeira sem encosto, talhado pelo próprio marido. Eu não entendia muito bem por que ele cantava aquelas coisas e até achava meio monótono. Não compreendia o que ele estava dizendo nem conseguia ver relação com minhas raízes, minha história.

Hoje tem mais gente que acha bacana frequentar terreiro, ter um pai de santo amigo por perto. Mas, algumas décadas atrás, praticantes como minha tia-avó tinham dificuldades de assumir sua religião. O culto aos orixás costumava acontecer às escondidas, em sítios, longe de olhos curiosos. Dindinha só foi "feita" — isto é, passou pelo ritual de iniciação do candomblé — aos 38 anos. Ela entrou para a religião por acaso: ficou doente, tentou de tudo, mas os médicos não encontravam diagnóstico. Através da fé curou a doença que a afligia. É engraçado que até hoje ela chama o candomblé de "negócio", "balacobaco", mas nunca me apresentou sua crença como algo exótico. Seu uniforme diário são roupinhas no estilo anos 1950 e nem mesmo torço na cabeça ela costuma usar — só em dias de festa, mesmo. Aliás, sua versão do ojá mais se parece com aqueles turbantes usados pelos indianos siques.

Conhecer o candomblé me ajudou a entender uma forma de organização social que esteve muito presente na minha infância. Só cheguei a essa conclusão depois de conversar com a educadora Makota Valdina. Ela me chamou a atenção para a estrutura familiar do candomblé, que reverencia a experiência dos mais velhos. É uma religião que dá ênfase à hierarquia, ao respeito e à solidariedade, justamente os valores que recebi de Dindinha. Além da relação com as folhas e a natureza, claro.

Levávamos uma vida simples na casa que minha tia orgulhosamente dizia ter projetado. Naquela época, eu morava com mais cinco primos, que viraram meus irmãos postiços. Não tínhamos Autorama, Playmobil ou Atari, mas tínhamos ele, o quintal. Ali nos divertíamos com brincadeiras de custo zero: esconde-esconde, pega-pega, garrafão. Também gostávamos de construir brinquedos com latas de óleo, pedaços de pau. Como criança cansa rápido de tudo, desenvolvemos uma criatividade enorme, sempre inventando coisas novas pra fazer.

Claro que tínhamos TV. Quando não se tem dinheiro, a falta de livros e de brinquedos é preenchida pela televisão, que ocupa boa parte do tempo. O curioso é que minha referência infantil não foi a Xuxa. Não sei se por corporativismo baiano, preferíamos o programa da Mara Maravilha. Outro ídolo era o Jairzinho, do

Balão Mágico. Durante a infância, toda criança quer ser "alguém": elege um super-herói, um personagem de série preferido. Pois eu queria ser o Jairzinho. Queria usar aquele macacão vermelho, ter aquele olhar de criança vivida e pegar carona na cauda do cometa com a turma que eu achava a mais legal do mundo. Acho que isso acontecia porque existia uma identificação visual; por ser um dos poucos negros no universo televisivo infantil, Jairzinho parecia mais próximo de mim.

Na minha infância, não tinha esse papo de ancestralidade. Mais recentemente, numa conversa com o professor Muniz Sodré, percebi que, mais do que a filosofia e a ciência, o que traz mudança mesmo são as representações coletivas, e a ficção tem um papel fundamental nessa construção. "A literatura sempre disse mais sobre o homem no Brasil que a sociologia — até hoje, muito preocupada apenas com lutas de classes. O cinema e a novela, com a força que têm hoje em nosso país, podem trazer um ataque forte aos preconceitos", me disse o Muniz em uma entrevista para o *Espelho*. Eu incluiria a literatura infantil e as biografias nesse rol e acho que ele concordaria comigo.

Até a quarta série (hoje quinto ano) estudei em um colégio particular na Federação. As turmas tinham um número equilibrado de negros e brancos. O curioso é que nessa escola, tão mista, ignorava-se a história dos negros. Aprendi sobre a luta de Zumbi de forma muito superficial e breve. Nas aulas sobre a escravidão no Brasil, ele aparecia como um rebelde. E ponto. Em 1995, quando já tinha dezessete anos, vivi Zumbi no teatro.

Curiosamente, esse não era meu papel no início da montagem. O espetáculo do Bando de Teatro Olodum estabelecia uma relação direta entre uma favela e os quilombos, e eu fazia um garoto com poucas falas, o que me deu mais tempo para assimilar as informações da pesquisa: a importância de Zumbi dos Palmares;

que a história negra é repleta de lutas e que eu não devia chamar meus ancestrais de escravos, e sim de africanos escravizados; que a liberdade não veio de uma canetada da princesa imperial, mas após muita luta. Esse foi mais um salto na compreensão sobre de onde vim e para onde podia ir.

No primeiro ano do *Espelho*, eu queria usar aquele espaço no Canal Brasil para propagar ideias, mas também para me capacitar intelectualmente. Busquei logo um grande pensador para o primeiro programa: professor Ubiratan Castro. Tinha visto uma palestra dele na época da montagem de *Zumbi* e queria ter a oportunidade de me aprofundar mais no que ele dissera anos antes.

Ubiratan me ajudou a entender algo fundamental. Disse ele que os próprios professores das escolas foram ensinados dessa maneira, vendo o negro apenas como força de trabalho. Ali me deparei com a invisibilidade do negro na nossa história, nunca tratado como protagonista. "Lázaro, certamente você *não* aprendeu que na Revolução Farroupilha lanceiros negros lutaram com a promessa de liberdade. Nem que as primeiras greves do Brasil não foram promovidas pelos italianos, mas por escravos em Ilhéus, no fim do século XVIII. Eles negociaram com os senhores as condições de volta ao trabalho, inclusive o direito de cantar e dançar. André Rebouças, o maior engenheiro do Império, era negro. Não precisamos fazer nenhuma inversão de supremacia: apenas mostrar que o Brasil foi feito através das intervenções de diversos povos."

Realmente não tive referências sobre minha origem quando era criança. Outro dia, conversando com Dindinha, perguntei onde viviam seus parentes antes de chegarem ao Paty. Ela não tinha a menor ideia e disse que talvez tivessem vindo da Europa!

Para ser sincero, eu nem mesmo ouvia o termo negro dentro de casa. "A gente, que é *assim*, tem que andar mais arrumadinho." A palavra "assim" dizia tudo e nada ao mesmo tempo. E o padrão "arrumadinho" daquela época não era o mesmo que os negros adotam hoje. Dindinha usava o cabelo para trás, cuidadosamente preso. O único produto de maquiagem que tinha era um pó de arroz que deixava sua pele meio cinza. Eu achava estranho, mas não dizia nada. As meninas da família estavam sempre com trancinhas comportadas. Já o meu cabelo era bem curtinho, repartido e puxado para um dos lados, e eu vivia cheio de talco no pescoço "pra ficar cheirosinho"... Mas aquela divisãozinha de cabelo não era muito natural, a meu ver. Anos depois, quando eu ingressei no Bando de Teatro Olodum, passei a usar vez por outra dreadlocks — um exemplo típico de negociação estética de aspectos das identidades negras, que fugiam do que até então eu usava normalmente. Acho que isso começou lá com minha mãe, que intercalava o uso de cabelo alisado com chapinha com o novo visual de trancinha afro.

Dindinha tinha suas próprias contradições. Quando via um negro na televisão, lembro bem, ela fazia "hum hum", uma espécie de muxoxo de reprovação. Ao mesmo tempo, em casa, ela me elogiava o tempo todo, dizia que eu era lindo e inteligente. Nesses tempos, cercado de primos e entre os muitos negros da Federação, a minha maior dificuldade era outra: ser o filho da empregada.

A empregada doméstica é uma figura muito presente nos lares brasileiros. É "quase da família", como se diz. Mas este é um não lugar — porque ela de certa forma abandona sua família e nunca entra na outra. Na minha cabeça, isso sempre criou uma confusão danada. Eu era muito bem tratado pela patroa da minha mãe e vivia brincando com os netos dela. Mas, em alguns momentos, eu era o filho da empregada. Na hora da bagunça, só eu era chamado à atenção. Lembro de uma vez em que todas as crianças foram brincar na cama da avó. Ela não gostou. "Tá fazendo o que aí, menino?", perguntou, ríspida, para mim. Eu consigo recordar até hoje a sensação: foi muito mais do que ficar sem graça, eu não sabia qual era o meu lugar no mundo. Para uma criança, essas nuanças podem ser bem difíceis. Minha família, por sua vez, nunca estimulou mágoas. Eu não me recordo de nada desse tipo, mas sei que algo ficou em mim dos momentos em que tinha de voltar ao quartinho da casa da patroa da minha mãe. Era um espaço pequeno, de três metros por dois, e, isolado ali, eu às vezes tentava imaginar o que se passava no resto do apartamento, que eu não estava autorizado a explorar.

Meu corpo vivia numa dúvida de até onde poderia ir. Eu pensava sempre em como meu corpo devia ocupar os espaços. Eu me sentia dono dele, pela forma como a minha família me tratava, e sabia que eu mesmo poderia definir meus limites, mas o mundo começava a me dar sinais de que talvez não fosse tão simples assim.

Mesmo vivendo sob a falsa cordialidade de sua patroa, que vez por outra fazia questão de mostrar "quem é que mandava"; mesmo vivendo situações que são dolorosas de lembrar, como não se permitir comer carne — ou talvez não receber permissão para tal — na casa da patroa e ter que se alimentar basicamente de arroz e ovo, enquanto um delicioso escaldado de carne feito por ela mesma fervia no fogão... mesmo assim, minha mãe não era uma figura queixosa.

Como isso era possível? Meu estômago revira. Minha mente entorta quando penso no tanto que a mentalidade escravagista ainda molda as relações patrão/empregado. Em um artigo, a historiadora Giovana Xavier conta uma briga que presenciou entre mãe e filha: "Tá me gritando assim por quê? Tá pensando que eu sou sua empregada?". A partir daí a Giovana faz toda uma análise sobre o que tornaria natural alguém gritar com sua empregada doméstica como se ela fosse sua propriedade, como se ainda estivéssemos vivendo tempos de senhores de engenho. Esses pensamentos me levam a lembrar que eu, espiando pela fresta do quartinho de empregada, via minha mãe receber ordens também aos gritos. Eu brincava com pedaços de papel tentando montar origamis alados que pudessem me levar para longe dali. Ainda hoje me vejo no filho da cozinheira da minha casa, e me enlouquece não saber se ele sente o mesmo que eu senti. Eu me esforço para que tudo seja mais doce para eles, ainda que não tenha descoberto a exata medida disso tudo.

O fato é que dona Célia curtia a vida, saía com os amigos, gostava de dançar. E também sabia elogiar. "Esse menino é uma maravilha", repetia frequentemente. Sempre se mostrou encantada e empolgada com a minha precoce habilidade para decorar textos e representar. Contava para todo mundo as minhas peripécias, os olhos brilhando, a expressão orgulhosa. Ela apostou na minha vocação antes mesmo que eu o fizesse. Mas, se sobrava bom humor, também sobravam prestações. Minha mãe vivia enrolada com as parcelas do eletrodoméstico, da roupa, do meu presente de Natal. Por causa disso, compro tudo à vista. Olha a calabresa aí de novo.

Ver a minha mãe na batalha me fez pensar em minhas perspectivas reais. Minha família só frequentou a universidade a partir da minha geração. Antes, nenhum parente tinha diploma de coisa alguma, e esse parecia ser também o meu destino. Quando me perguntavam, porém, o que eu queria ser quando crescesse, eu respondia, meio sem convicção: "Quero ser médico".

Entre o laboratório e o palco

Aos catorze anos saí da casa de Dindinha e fui morar com meu pai no Garcia, bairro que se desenvolveu a partir da ocupação de uma antiga fazenda colonial e é um dos mais antigos de Salvador. Nos anos 1940 e 1950, sua parte mais alta foi dividida em uma série de loteamentos, e construções modestas se multiplicaram pela região.

Quando me mudei para lá, em 1991, os becos e as vielas pouco iluminados ainda eram de terra batida. Mas o Garcia estava em plena expansão, tanto que, entre as crianças do bairro, uma das brincadeiras prediletas era pular na areia das obras. Hoje o que existe são casas amontoadas entre edifícios modernos. Pela fragilidade, essas construções me lembram castelos de cartas. E foram crescendo desordenadamente, de acordo com a ascensão social dos donos. Nossa área, conhecida como Fazenda Garcia, preservou seu espírito familiar e popular. Mesmo sem luxos, nossa casa é um dos maiores orgulhos de meu pai: foi construída aos poucos e hoje tem três andares, com direito a um terracinho. A obra levou tantos anos que perdi as contas. Ele sempre sonhou com isso: um andar para ele, um para mim e outro para minha irmã. E realizou o sonho.

A mudança de bairro e de escola não foi nada fácil. Em plena adolescência, eu continuava a ser um tipo retraído. Era pequeno, magrinho, caladão. Depois de sair da casa de Dindinha, levei um ano para conseguir deitar no sofá da casa do meu pai — que era, aliás, minha própria casa. Não sentia como se aquele ambiente me pertencesse. Era a primeira vez que estava morando com ele e não queria incomodá-lo. Não sabia exatamente o que era permitido, então ficava num cantinho da sala para não ocupar muito espaço.

Só voltei a pensar nessa sensação quando, ao final de uma entrevista para o *Espelho* com Jaime Sodré, professor e doutor em história da cultura negra e ogã, ele me chamou no canto e disse, com sua sabedoria ancestral: "Você sabe que essa menina que está vindo aí é de Ogum, não é?". Taís estava grávida de cinco meses da nossa filha, Maria Antônia. Eu disse: "Não sei, é?". Ele completou: "É. Crie ela livre. Às vezes nós criamos nossos filhos cerceando a liberdade deles e isso cria seres atrofiados. O espírito dela é livre. Deixe-a ser plena".

Saí profundamente emocionado e sentindo uma grande responsabilidade.

Pronto, divaguei de novo, companheiro de viagem. Voltando ao fio da meada.

Na casa do meu pai, no meu novo bairro, comecei a me soltar após alguns meses. Talvez porque, pela primeira vez na vida, eu tenha arrumado uma turma — um grupo de meninos e meninas de quem sou muito amigo até hoje. Éramos vizinhos, todos de famílias simples e com valores muito parecidos. Gostávamos de jogar conversa fora, resenhar a vida. Era assim mesmo que a gente falava depois de algum episódio emocionante: vamos fazer a resenha. Eram longas noites de conversa na frente de casa, planejando o futuro, falando, falando.

Não tínhamos muita ligação com as brincadeiras tecnológicas. Nós nos reuníamos para ver filme pornô no videocassete da casa de alguém, ou brincar na rua, ou contar piada, ou inventar concursos dos mais variados, desde o pum mais fedorento até quem criava a história mais fantasiosa. Parece engraçado, mas no Garcia tivemos a oportunidade de viver plenamente a idade que tínhamos. Dava para passar o dia na rua, sem ameaças. Se existia algum perigo, nosso grupo não percebia. Até ouvíamos falar de gente de outras turmas que tinha seguido outros caminhos e se perdido. Mas nenhum de nós se deu mal. Criamos uma rede própria de proteção. Nosso mundo era o nosso bairro.

Todos tinham um apelido, criado a partir de um traço marcante da personalidade. Cacá era o Sonhador. No meio de qualquer assunto, ele sempre cogitava algo bem improvável, distante da realidade. Se a conversa era sobre um novo vizinho, ele vinha com algo como "Já pensou se aparece um lobisomem aqui e agora?". Era o rapaz do "já pensou". Raimundo Nonato estudou na mesma escola que eu. Era o mais ingênuo de todos, acreditava em tudo o que a gente dizia. Seu apelido era Nonatinho. Fernanda, a irmã mais velha de Cacá, era a Responsável, sempre dando uma noção de limites em alguém. Marcelo, o mais baixinho do grupo (a propósito, hoje ele é o mais forte e o mais alto), era chamado de Pigmeu. Josiney, primo de Pigmeu, foi o primeiro da turma a namorar. Com ele, a brincadeira era chamá-lo pelo nome inteiro: Josiney Ubiraci Xavier Santos Silva. Ele ficava bem nervoso com isso. O Chico era o Cabeça, porque tinha uma cabeça com formato estranho. Manu, a mais clara da turma (uns dirão branca, outros, sarará), era a Desligada. Alemão, magrinho, ficou conhecido como Sopa de Ossos. Ele morreu um tempo depois de leucemia e é até hoje lembrado por todos como o mais afetuoso da turma.

E eu, como era o mais novo, não tinha apelido. Até porque era fechado e às vezes sisudo. Não dava pra brincar muito comigo. Porém, por conta de uma briga em que fiquei com muita raiva, gritei e abri bem os olhos, e começaram a me chamar de Olho de Zumbi. Como na época eu não tinha ideia de quem era Zumbi dos Palmares, não deu para reverter a situação usando o antídoto perfeito, que é dizer que achou o apelido ótimo.

Na escola, o ídolo de todos nós era o André Jaspion, um cara mais velho que morava na parte mais alta da rua e lutava caratê. A gente passou meses a fio comentando o dia em que ele conseguiu chutar o teto com um de seus golpes. Virou herói na hora. Mas um herói que mal nos cumprimentava. Era um pouco mais velho e, para manter a fama de mito, preferia ficar meio afastado. Quando crescemos, vimos que ele era igualzinho à gente. Às vezes, para ser mito, basta fazer silêncio e a cara certa.

A maioria de nós tinha famílias com um passado de êxodo do interior, nem todos com nível escolar alto. Como ninguém era filho de médico ou advogado, não existia a cobrança de herdar uma profissão. Na verdade, nossos pais só queriam uma coisa: que fôssemos poupados dos perrengues por que haviam passado. "Estudem para ser alguém na vida", repetiam. E nós, no auge da adolescência, não tínhamos planos traçados. Não planejávamos fazer cursos ou viagens, como acontece nas casas de classe média alta. Existia apenas o compromisso de levar os estudos a sério e buscar um caminho digno. Que caminho era esse? Ninguém sabia muito bem, mas provavelmente estaria ligado a algum curso técnico, que poderia garantir mais rapidamente um emprego.

O excesso de zelo dos nossos pais, que gostavam de impor regras para tudo, chegava a ser constrangedor. Por trás disso, é claro, existia um medo enorme de que virássemos "gente ruim", que é como se fala na Bahia. Por anos, Manu (ou Desligada) foi a protagonista de um grande mistério: sempre no meio de uma brincadeira ou de uma conversa, ela se despedia correndo, deixando todo o grupo meio intrigado. Até que um dia confessou que seu pai tinha desenvolvido um toque de recolher muito particular: subia na laje e tocava uma flauta, pontualmente, às dez da noite — limite que estabeleceu para a filha voltar para casa. O rigor não era só com horários. Me lembro até hoje de uma bronca fenomenal que tomei de meu pai porque quis me dar bem. Um caminhão de supermercado tombou na nossa rua e uma montanha de frangos congelados se formou no asfalto. Sem pensar nas consequências, eu e Cacá decidimos pegar alguns. Peguei uns três, ele, outros quatro. Quando apareci em casa com os frangos, seu Ivan ficou furioso. E lá fui eu, com a cara murcha e o frango pingando pelas pernas, devolver a carne. Quando voltei à rua, encontrei Cacá na mesma situação. O pai dele tinha lhe dado um sermão igual ao do meu.

Santo, é claro, ninguém era. Até hoje lembro o trauma do meu primeiro porre, quando tinha uns dezessete anos. Foi também o dia em que percebi que levava jeito para ator. Estávamos jogando cartas e a prenda dos perdedores era tomar uma dose de licor. Saí da brincadeira tontinho. Depois fomos para uma festa de rua, onde esbarrei com o Bico, uma espécie de Zé Pequeno do Garcia.*

— E aí, veado? — perguntei.

Falei "veado" como se diz "brother", "cara". Na verdade, confundi Bico com um colega de catecismo. Quando percebi a mancada, me fiz de mais bêbado ainda e saí de fininho. Mas não adiantou,

---

* Zé Pequeno foi um criminoso carioca da Cidade de Deus conhecido por sua crueldade. Tornou-se personagem no filme *Cidade de Deus* (2002) — por sua vez, baseado no livro de mesmo título de Paulo Lins —, de Fernando Meirelles, e interpretado por Douglas Silva (quando criança) e Leandro Firmino (na fase adulta).

Bico estava irritado e tive que contar com a ajuda de meus amigos, que não deixaram que ele me batesse explicando que eu estava bêbado demais. Descemos a rua correndo para voltar para casa e no caminho encontramos Isabel, que na época era namorada do meu pai. Imediatamente fingindo que estava sóbrio, consegui passar por ela sem que notasse nada de diferente. Só dez casas depois eu comemorei, gritando pelos becos do Garcia "Eu sou ator!", "Eu sou ator!".

Se com a turma de rua consegui deixar a timidez para trás, na escola não tive a mesma sorte. Quando me mudei para o Garcia, entrei para o colégio Batista Sião, uma escola particular e religiosa. A disciplina era levada a sério. Todos os dias, meia hora antes do início das aulas, éramos obrigados a cantar hinos batistas — mais um ingrediente para a minha salada religiosa. Em classe, eu era aluno de primeira fila, porque precisava fazer jus ao esforço do meu pai para pagar a mensalidade. Sentar na frente era também uma espécie de refúgio para um cara como eu. Estudar numa escola de classe média, em que eu era um dos pouquíssimos negros, não foi nada fácil.

Era a época dos bailes de quinze anos e das primeiras festinhas sem adultos por perto, e eu não podia me sentir mais rejeitado. As meninas escolhiam seus pares para dançar, seus paqueras do momento. Eu não estava entre as opções. Ficava num canto do salão, sem ter nem com quem conversar. Quando alguma menina me dava mais papo, eu mal conseguia falar, pela falta de exercício. Estava tão acostumado a ser deixado de lado que não sabia o que fazer, não sabia nem sequer distinguir se aquele papo tinha segundas intenções. Adotei então o papel do melhor amigo. Foi assim até o fim do ensino fundamental. Ficava com meninas do Garcia, mas com a turma da escola era o maior zero a zero. E acontecia o mesmo com meus amigos do bairro. Chico chegou a ser repreendido certa vez pela mãe de uma menina: "Minha filha não é para o seu bico". E, veja você, eu só soube disso na pesquisa para este livro.

Com Taís aconteceu algo parecido e, olha que coisa, também só fiquei sabendo quando a entrevistei para o *Espelho*. Em casa, nunca falamos disso. Ela contou que não arrumava namorados no colégio e achava isso normal. Era sempre a melhor amiga, a articuladora, quem armava os encontros dos meninos com as meninas, viabilizava as festinhas, era a representante de turma. Mas a questão do namoro não existia, nem mesmo no condomínio em que morava. O primeiro beijo na boca, ela já tinha catorze anos.

Foi a vontade de perder a timidez, de me soltar, que me aproximou de vez do teatro. Não exatamente com ambições profissionais. Na minha cabeça, ser ator era uma opção economicamente inviável, e eu ainda tinha um medo danado de confessar para meu pai que queria estudar interpretação. Seu plano era bem mais pé no chão. Ele acreditava que o melhor para mim seria cursar o ensino médio em uma escola técnica como o Cefet, o Centro Federal de Educação Tecnológica. Depois, poderia procurar trabalho no polo petroquímico de Camaçari. Se esse caminho tinha dado certo com ele décadas antes, minhas chances pareciam ainda maiores.

Mas a ideia de estudar no Cefet não me empolgava. Para fugir dela, descobri um colégio chamado Anísio Teixeira, também público e de educação profissional, que oferecia aulas de teatro de graça. Para estudar lá, eu teria de escolher entre duas especialidades: desenho industrial ou patologia clínica. Como eu não levava o menor jeito para desenhar — não sabia fazer nem O com um copo —, inventei para o meu pai que estava muito interessado no universo dos laboratórios e dos fluidos orgânicos. Adoraria examinar sangue, urina e cocô, pai. E ele acreditou. Afinal, mesmo sem convicção, desde criança eu dizia que queria ser médico.

Para que meu plano de não entrar no Cefet desse certo, marquei uma única letra (C) em toda a prova de múltipla escolha e depois fiquei esperando por uma hora para sair da sala. Até então nunca tinha burlado uma "lei" na vida. Levei bomba, é claro. Fui então para o Anísio Teixeira, que se tornou a melhor opção.

Passei a frequentar aulas formais de teatro pela primeira vez. Meu pai não aceitou bem a ideia. Não por preconceito, mas por receio de que eu não conseguisse sobreviver dos palcos e me decepcionasse. Um eco disso reverberava em mim toda vez que a situação apertava: batia um arrependimento, minha cabeça voltava ao dia em que fraudei o exame do Cefet, e eu me perguntava se não teria sido melhor seguir os conselhos de seu Ivan, meu sábio pai. Para atrapalhar um pouco, ele não me dava dinheiro para o almoço, já que as matérias do currículo tradicional e da patologia clínica eram de manhã. O problema era que, à tarde, eu fazia teatro. Para tapear a fome, comia cajarana tirada direto do pé, nos fundos da escola.

Um dia, meus colegas comentaram que o Bando de Teatro Olodum ofereceria uma oficina e todos iam se inscrever. A matrícula custava cinco reais, verdadeira fortuna para um adolescente que almoçava cajarana no pátio. Decidi não participar. Afinal, já estudava teatro no colégio e nunca tinha ouvido falar do tal Bando. Olodum, para mim, era o bloco de Carnaval — e só. Quando meus amigos se despediram e entraram num ônibus para fazer a inscrição, fui imediatamente tomado por uma sensação de que estava fazendo uma tremenda burrice. Saí correndo e consegui alcançá-los.

No fim das contas, fiz o workshop e fui o único da escola selecionado para integrar o Bando. Aliás, o Bando, não. Fui chamado para fazer parte de um grupo de teatro para adolescentes, o Parque São Bartolomeu, comandado pela mesma diretora do

Bando, a Chica Carelli. Fiquei nele só um dia porque não queria fazer parte de uma companhia com atores da minha idade. Não me identificava com as questões trabalhadas lá. Que horas chegar em casa, namoro e conflitos adolescentes não estavam na minha agenda teatral. Eu queria mais. Queria pensar sobre a condição do negro na sociedade com o vigor que observei no Bando durante a semana do workshop. Insisti tanto que a direção aceitou minha transferência. Em troca, prometi que não me tornaria o adolescente mala do grupo.

Fiz essa pressão porque o Bando era completamente diferente de tudo o que eu já tinha visto. Formado por atores negros, seus textos mostravam um universo muito parecido com o meu. O Bando de Teatro Olodum foi fundado em 1990, fruto da iniciativa de pessoas como o diretor Márcio Meirelles, a diretora Chica Carelli e uma série de atores de grupos de bairro. Aos poucos, se tornou uma companhia totalmente autônoma, porém, no início, o nome do bloco servia como uma espécie de chamariz para as oficinas, concorridíssimas, em Salvador. Desses workshops saíam novos integrantes, em geral atores que mantinham outras profissões durante o dia e se dedicavam aos ensaios das peças à noite.

No Bando, todo ator é também autor, já que as cenas são criadas a partir de uma pesquisa do cotidiano. Na busca por essas novas vozes surgiam os personagens e os diálogos que eram aproveitados no palco. Vem dessa linguagem popular, por exemplo, o título da peça *Ó paí, ó* (1992) — uma expressão tipicamente baiana que já expliquei aqui. A essência da companhia é misturar humor, crítica social e contundência para falar do ponto de vista negro na ordem do mundo. O que me encantou primeiro foi a combinação do humor com a crítica social. Discutir um tema árduo como a discriminação racial pode ser um fardo, mas em alguns dos espetáculos criados pelo Bando foi possível darmos

46

o nosso grito em meio a gargalhadas. Entretenimento e reflexão andam juntos. Percebi que essa era uma ótima maneira de ser ouvido, e não só no teatro. Mais tarde, experimentei com eles um sabor mais amargo, quando o grupo decidiu abrir mão da leveza e do lúdico para falar com mais dureza de algo que, tenho de admitir, é de fato cruel.

A entrada para o Bando, quando eu tinha dezesseis anos, mudou o rumo da minha vida. Estreei em *Bai bai, Pelô* (1994) justamente quando o grupo passou a ser residente do teatro Vila Velha, por onde passaram Caetano Veloso, Gilberto Gil, Maria Bethânia, Othon Bastos, Sonia Robatto, Carlos Petrovich e muitos outros. Era um importante palco de Salvador, que estava sendo revitalizado. A peça falava sobre as mudanças no dia a dia do Pelourinho depois que a área recebeu investimentos para atrair o turismo. Meu personagem era Augusto Pelotas, que nos primeiros improvisos era um médico de fala rouca e que passou a ser um trapaceiro, pois todos acharam que ninguém acreditaria num médico com cara de quinze anos. Eu queria ser um médico no palco, mas o que foi possível foi viver um 171 que queria se dar bem em cima das indenizações recebidas pelos moradores do Pelô.

O encontro com o teatro veio num dos momentos mais duros da minha vida. Nessa época minha mãe ficou muito mal de saúde. Os médicos descobriram que o motivo era uma doença degenerativa, e ela foi morar com minha tia Teté, ficando mais próxima de meus tios Raul, Dílson e Vadu e de vovô Renato no interior, no Caípe, município bem próximo do Paty, onde todos viviam. Nos fins de semana, eu me juntava a eles e tentava contribuir ao máximo nas tarefas da casa: carregava água da fonte, ajudava na limpeza e cuidava de minha mãe. Quando terminei o ensino médio, a rotina ficou ainda mais puxada. Meus tios e primos ajudavam muito, mesmo assim decidi trabalhar como técnico de patologia para ajudar nas despesas, mas o único emprego que apareceu foi em São Francisco do Conde. Acordava às cinco da manhã, fazia um trajeto de uma hora e meia de ônibus e trabalhava de sete a cinco da tarde. Passava o dia coletando urina, sangue e fezes, voltava para Salvador e ensaiava com o Bando até as dez da noite. O cansaço era enorme, mas a vontade de continuar no grupo falou mais alto.

Nesse meio-tempo vivi com meu pai Ivan um momento inesquecível. Ele foi ver meu primeiro espetáculo. Ele, que era tão preocupado com meu sustento, ao fim da peça me esperou no foyer, tocou no meu ombro e me enviou um olhar quente. Não disse uma palavra, ele não podia dizer — e hoje eu sei disso — "meu filho, siga esse sonho". Esse sonho era tão arriscado que, para meu pai, era difícil dar a aprovação total. Mas aquele olhar de orgulho por me ver em cena já dizia muito. E desde então ele esteve presente em todas as minhas estreias, sempre com o mesmo olhar caloroso.

No Bando comecei a refletir sobre assuntos que não vinham à tona no meu ambiente familiar. Aprendi muito em *Cabaré da raça*, o maior sucesso de público da história do Bando, encenado em 1997. A peça contava com dezesseis personagens negros com atitudes totalmente diferentes em relação à questão racial. Tinha a mulher rica (Rejane Maia), que acreditava não sofrer preconceito; o negão (Cristóvão da Silva), que gostava da fama de garanhão; a cantora de axé alienada (Auristela Sá), que vivia repetindo o bordão "negro é liiindo"; a cabeleireira (Cássia Vale), que descobriu o mercado de produtos para cabelos crespos; Edileuza (Lázaro Machado), que vivia o conflito de ser negro e gay; Taíde (Jorge Washington), um modelo que não conseguia trabalho e não entendia que isso tinha a ver com a cor de sua pele; e dra. Janaína (Merry Batista), uma advogada constantemente discriminada no seu ambiente de trabalho (foi sugerido a ela inclusive que passasse a usar o elevador de serviço). Eu fazia um universitário bem panfletário, Wensley de Jesus, que cobrava mais engajamento dos outros. Escolhi esse papel pela proximidade de faixa etária, mas também porque eu mesmo queria descobrir a melhor maneira de me posicionar. Na peça, eu dizia coisas como "Não existe propaganda de margarina com negros — por mais incrível que isso possa parecer, negros também comem pão, sabiam?", ou que, como ninguém nascia racista (e eu observava, na plateia, as cabeças balançando em concordância), era melhor então que todos se mantivessem crianças.

Ou seja, entrar para o Bando me deu argumentos e coragem para falar sobre a assim chamada questão racial. Existe todo um discurso de que não há racismo no Brasil. Afinal, nós fazemos parte de um povo pra lá de miscigenado. Mas quem é negro como eu sabe que a cor é motivo de discriminação diária, sim. Um bom exemplo é blitz de ônibus. Em determinada época, elas eram bastante frequentes em Salvador. O curioso é que só descia negão dos ônibus. O cara branco era chamado de cidadão e eu virava menininho, garoto, moleque. Ou vocês nunca repararam na cor da pele de quem é "menor" e de quem é "criança" nos textos da imprensa, no vocabulário popular ou mesmo em pronunciamentos de autoridades?

Nas rodas de conversa com a turma do Garcia, volta e meia alguém contava uma situação constrangedora. Chico, aos dezoito anos, foi comprar o primeiro carro. Ele estudava engenharia e trabalhava numa oficina mecânica. Quando chegou à concessionária, ouviu um vendedor comentar com outro: "Esse aí é só olheiro. O tipo que olha e não compra nada". Pois ele gostou de um Gol que estava à venda, foi ao banco, sacou o valor necessário e voltou. Tirou da meia um maço de dinheiro e pagou o automóvel à vista.

Certa vez, eu voltava de um ensaio do Bando, às onze da noite, quando parei num caixa eletrônico para tirar dinheiro. Quando saí do banco, dois policiais me esperavam. Vieram atrás de mim, com arma na mão e tudo, e me pediram os documentos. Antes de entregar minha identidade, comecei a questionar a abordagem:

— Por que você quer o documento?

— Porque você é um tipo meio suspeito... de boné.

— Como assim: tipo suspeito, de boné? Não entendi.

— Estava aí, à noite, no banco.

— Oxente, estou no meu banco, sacando o meu dinheiro.

Um dos policiais passou a andar de um lado para o outro, irritado, arma em riste, enquanto eu despejava todo o discurso aprendido no Bando.

— Rapaaaaz, rapaaaaaz... — repetia ele em passos firmes, irritado com a minha empáfia.

No fim das contas, o policial devolveu meu documento e os dois entraram no carro, meio emburrados. De alguma maneira, passei meu recado e consegui fazer com que eles pensassem um pouco no que tinham acabado de fazer, porque o motorista deu meia-volta, parou a viatura e falou da janela:

— Não estou te discriminando, não, tá?

Minha mudança de comportamento passou a influenciar também a minha família. Minha mãe e minhas primas deixaram o alisamento para trás e aderiram aos penteados afros depois que comecei a aparecer em casa com trancinhas e dreadlocks. Dindinha também parou com seus muxoxos à frente da televisão e abandonou o pó de arroz, trocando a maquiagem por uma base Elke que eu dei pra ela. Ela me via no palco com frequência e passou a admirar os atores negros. Aqui e ali, eu fazia minhas intervenções. Um primo, certa vez, me disse que era marrom.

— Você é o quê, menino? Você não é marrom, não, é negro! Não tenha vergonha!

O orgulho de minhas origens, porém, não se sobrepôs a um grande ensinamento que recebi em casa: o de não estimular a separação.

E assim aconteceu comigo no teatro. Um ator da minha idade, integrante de outra companhia do Vila Velha, despertava minha curiosidade entre um ensaio e outro. Ele tinha cabelo comprido, era calado e esquisitão, talvez tanto quanto eu. Um dia, depois de encenar *Zumbi*, o tal cara apareceu no camarim para me dar os parabéns.

— Ô, admiro seu trabalho. Quero ser seu amigo.

O tal sujeito estranho era Wagner Moura, e ali começou uma grande amizade.

A ribalta

O Bando tinha uma produção intensa. Mesmo sem patrocínio algum, chegávamos a encenar três espetáculos seguidos. E dos mais variados, de *Woyzéck* (1993), do alemão Georg Büchner, passando por *Sonhos de uma noite de verão* (1999), de Shakespeare, a *Dom Quixote de La Mancha*, de Cervantes (1998) e *Ópera dos três vinténs* (1996), de Brecht. Mas o que me marcou mesmo foram nossas criações autorais. Queríamos falar e descobrir qual era a nossa voz. E falamos de tudo, de religiosidade com *Erê pra toda vida* (1996) e *O novo mundo* (1991), de habitação com a Trilogia do Pelô (que inclui *Essa é a nossa praia*, *Ó paí, ó* e *Bai bai, Pelô*), de racismo em *Cabaré da raça* (1997). Sempre buscando dar um novo passo, algo que ainda não tivesse sido feito no teatro negro até aquele momento.

Guardo com alegria o fato de que meus primeiros ídolos do palco foram os atores do Bando. Eu queria ser como eles, os admirava, aprendia com eles. Tê-los como minhas primeiras referências ainda hoje me emociona. Luciana Souza, Valdineia Soriano, Ednaldo Muniz, Edvana Carvalho, Suzana Matta, Tânia Toko, Nauro Neves, Jeremias Mendes, Arlete Dias, além dos amigos que citei no capítulo anterior e alguns mais que citarei em breve, são nomes que reverencio até hoje.

Faço questão de citá-los sempre, pois em muitas das experiências de grupos negros — seja na música, no teatro, na dança ou até mesmo em manifestações políticas e estudantis — se menciona apenas o "líder" ou o nome do grupo, apagando as individualidades. Nomear é importante, é um exercício para não perdermos os atributos que nos distinguem, para provocar empatia com o outro. Um simples nome — como Cláudia — pode revelar a dimensão humana de alguém, gerando empatia e, consequentemente, valorização. Ser Cláudia Silva Ferreira, e não a "mulher arrastada" por uma viatura da PM, como parte da imprensa se referiu a ela no trágico caso que levou à sua morte e que ocorreu no Rio de Janeiro em 16 de março de 2014 (lembram?), reeduca o olhar, sim, e provoca empatia.

Dos nomes que reverencio, quero destacar Mário Gusmão, que conheci aos dez anos de idade, quando atuei em um especial de Natal chamado *O menino e o velho* (1988). Explico: a filha da diretora do colégio em que eu estudava precisava de uma criança para fazer um curta-metragem que seria exibido na TV Itapoã. Essa criança teria que contracenar com Gusmão, um velho que representava justamente o futuro daquele menino. Entre as várias perguntas que fez ao velho, havia a clássica "o que serei quando crescer?" (até hoje me lembro da minha péssima inflexão). E essa figura mítica, primeiro ator negro formado numa faculdade de teatro na Bahia, respondia: "Você só vai descobrir caminhando". Depois disso, lembro-me dele em outro curta baiano, *Troca de cabeças* (de 1993, dirigido por Sérgio Machado, com quem trabalhei depois no filme *Cidade Baixa*), em que contracenava com Grande Otelo e Léa Garcia.

Gusmão foi minha primeira referência de ator negro, por isso quero falar um pouco mais dele. Na época, eu não entendia muito bem sua importância, mas o destino me deu a chance de recuperar as conversas que não tivemos em *O menino e o velho* exatos sete anos depois, no espetáculo teatral *Zumbi está vivo* (1995). Eu interpretava Zumbi dos Palmares, ele, Ganga Zumba. Infelizmente, isso foi pouco antes de ele falecer. Gusmão, que de certo modo foi precursor do caminho que depois pude percorrer (e com sucesso), nunca teve o reconhecimento que merecia. Atuou em mais de vinte peças teatrais, muitas delas marcos de nossa dramaturgia, além de novelas, seriados e filmes, como o clássico *O dragão da maldade contra o Santo Guerreiro* (1969), de Glauber Rocha, como Antão, o comandante dos beatos. Negro, homossexual e buscando cada vez mais um estilo de vida alternativo, Gusmão começou a se afastar do teatro. Ele morreu pobre, consumido por um câncer, no simbólico dia 20 de novembro do ano de 1996.

Abro um último parêntese para falar de Carlos Petrovich, mais um ator de outra geração que foi importante para mim. Nos encontramos em *Um tal de Dom Quixote* (1998), ele como Dom Quixote, eu como Sancho Pança. Durante essa experiência, Carlos me deu inúmeros conselhos. Não falou apenas de como exercer a profissão, mas de identidade. Branco, do candomblé e um dos fundadores do teatro Vila Velha, ele um dia, sem motivo algum, me levou uma revista com a seguinte manchete na capa (ou algo muito similar): "Metas para a vida". Era uma espécie de manual sobre como focar na realização dos seus objetivos. Na hora não entendi bem o porquê do presente, mas anos depois, compensando minha enorme indelicadeza de não ter nem sequer aberto a revista imediatamente quando a recebi, encontrei ali vários estímulos que, de fato, me ajudaram muito.

* * *

Aos dezenove, vinte anos, eu já tinha feito um pouco de tudo no Bando, de protagonista a assistente de figurino. Também me arriscava como produtor. Cheguei a organizar uma turnê que levou o grupo para fazer apresentações em Recife, João Pessoa e Fortaleza. Essa experiência me deu a certeza de que queria ser ator, e larguei a patologia clínica. Ao participar de *Cinderela baiana* (1998), o filme da Carla Perez (que fazia um baita sucesso como a loira do É o Tchan), consegui um cachê equivalente a uns vinte salários mínimos. Era mais do que eu ganhava em um ano no laboratório, e estabeleci o prazo de vinte meses para investir só em teatro. Queria ver se minha carreira engrenava. Se não deslanchasse, voltaria à jornada dupla numa boa. Nunca tive medo de ter outro emprego.

No Bando, eu era tratado como filho. Sempre fui muito protegido pelo resto do elenco. Mas comecei a fazer meus primeiros trabalhos fora da companhia para conhecer melhor as engrenagens da profissão. Uma das participações mais engraçadas que fiz foi no filme *Woman on Top* (em português, *Sabor da paixão*, de 2000), de Fina Torres, que tinha como protagonistas Penélope Cruz e Murilo Benício. Eu e Wagner Moura fizemos um teste e fomos selecionados para interpretar os dois amigos de Murilo na trama — na verdade, uma ponta. O filme era tão doido que a Penélope Cruz encarnava uma baiana que falava inglês e fazia macumba com caranguejo. O primeiro take era uma colagem do Cristo Redentor com o Elevador Lacerda sob a seguinte narração: *We are in Bahia, capital of bossa nova* [Estamos na Bahia, capital da bossa nova]. Em um dos dias da filmagem, a produção só se lembrou dos nossos personagens na hora de rodar a cena. Quando eu e Wagner chegamos ao set já estava tudo pronto: havia umas cinquenta baianas vestidas a caráter e um grupo de músicos começou a tocar atabaques. Nós, sem ideia do que fazer, dançamos e rimos. E essa cena ficou no filme.

Logo depois, Wagner foi para Recife fazer *A máquina*, com texto de Adriana Falcão e direção de João Falcão que, em 2000, já era um nome conhecido no eixo Rio-São Paulo. Ele tinha escrito e dirigido peças premiadas, que foram encenadas por Marieta Severo, Andrea Beltrão, Marco Nanini. *A máquina* era sua nova empreitada, com um elenco de jovens talentos do Nordeste. Pouco tempo antes da estreia, Bruno Garcia avisou que precisaria deixar o espetáculo. Por indicação do Wagner, o produtor da peça, Chico Accioly, me telefonou. A oferta não era exatamente sedutora: a produção não tinha dinheiro nem para pagar a minha passagem de Salvador para o Recife. E, chegando lá, eu teria que morar num quarto apertado com o Wagner e com Vladimir Brichta, que conheci em Salvador quando assisti por doze vezes ao espetáculo *Nada será como antes*, de Cláudio Simões, que ele fazia com Os Argonautas, e que hoje é meu outro irmão.* Neguei o convite duas vezes. Até que, em uma de suas folgas, Wagner saiu de Pernambuco e foi até a Bahia para conversarmos. Na porta do Vila Velha, ele me disse: "Tá na hora da gente dar mais um passo. Vamos, irmão?". Aí o processo se inverteu. Eu é que liguei para o produtor pedindo para fazer a peça. A minha recusa, admito, foi principalmente pelo medo do que eu poderia encontrar fora do Bando.

---

* *Nada será como antes* estreou em Salvador, no Cabaré dos Novos do teatro Vila Velha, em setembro de 1999. No elenco estavam Fabiana Mattedi, Laura Haydée e Vladimir Brichta, além de Alethea Novaes, Arthur Brandão, Marcelo Flores e George Valdimir, da companhia de teatro Os Argonautas, fundada também em 1999 e conhecida pela força e contemporaneidade de sua linguagem, por sua releitura dos clássicos e pelo foco no trabalho dos atores.

Em *A máquina*, todo o elenco masculino interpretava um mesmo personagem: Antônio. O fato de um negro ter entrado para o time não alterou uma única linha da peça. Foi ótimo perceber isso. Naquele momento, vi que era possível, mesmo fora do Bando, trabalhar com um diretor que eu admirasse e ganhar um bom papel. Graças a essa oportunidade, tive contato com outro tipo de teatro e de linguagem, mais poética e lúdica.

A máquina se tornou um sucesso nacional. Estreou em Recife, participou do Festival de Curitiba, fez temporadas em São Paulo e no Rio de Janeiro. Com a turnê, comecei a frequentar novos ambientes. Quase sempre, percebia que eu era o único negro dentro de um bar ou de um restaurante. Assim como no colégio, eu era a exceção. Isso passou a me incomodar, mas eu não fazia comentários com o resto da turma, que além de Wagner e Vlad incluía meus amigos Gustavo Falcão, Felipe Cury e minha namorada na época, Karina Falcão. Eu apenas prestava atenção ao meu redor. A pior coisa seria passar a imagem de perseguido. Principalmente porque aquelas eram pessoas de quem eu gostava muito e eu não queria nem sabia como discutir raça sob um viés político com elas.

Tracei, então, minha estratégia para cooptá-las. Antes de tudo, tinha certeza de que não precisava falar o tempo todo de discriminação. Não queria ser chato, queria apenas ser ouvido. Passava meu recado em determinadas situações. Numa conversa sobre beleza, elogiava uma mulher negra que eu realmente achasse bonita. Se o teatro estivesse em pauta, citava um ator talentoso e negro. Nunca em tom agressivo. A delicadeza era consciente mesmo. Foi o caminho que achei, não sei se melhor ou pior, mas foi o que era possível para mim. Quanto mais o tempo passava, mais eu sentia que eles prestavam atenção no que eu falava. Eu não estava fazendo uma panfletagem explícita.

Hoje em dia, de vez em quando, acho importante falar para incomodar. Mas naquele momento, decidi que existiam questões que não precisavam ser ditas, tinham de ser pensadas. Nessas discussões e negociações, de vez em quando a preguiça impera. É mais fácil escolher um argumento — como defender que no Brasil o racismo é mais brando — e insistir nele, dizendo que tudo é mimimi ou mania de perseguição. Sem assumir a complexidade, nada muda de lugar.

Quando *A máquina* estava em São Paulo, ouvi falar de uma seleção para uma série de TV. Decidi gastar todas as minhas economias na passagem até o Rio. Esse primeiro teste foi um verdadeiro fiasco. Fiquei horas esperando numa antessala, desconfiado até de que tinham esquecido de mim. Quando me chamaram, o diretor estava cheio de gente em volta.

— Como é seu nome?

— Lázaro, ator de teatro.

— Dá uma volta aí.

Na frente de umas doze pessoas dei uma voltinha no meio da sala. Eu cultivava um black power enorme do qual me orgulhava. Mas, na dúvida, para disfarçar, decidi usar uma boina.

— Tira isso aí da cabeça.

O cabelo sobe velozmente e toma conta da minha cabeça como uma árvore frondosa. Vejo olhos arregalados, tentando timidamente um disfarce. O diretor pergunta:

— Você corta isso aí?

— É que eu tô fazendo teatro...

— Tá, beleza, a gente te procura.

Assim como fui, voltei para São Paulo — com a diferença de que estava alguns reais mais pobre. Eu ganhava mil e quinhentos reais e — me lembro disso como se fosse hoje — a passagem custou exatamente mil e duzentos. Outras pessoas se sentiriam derrotadas, tristes, desistiriam da profissão. Mas a experiência no Bando me deu, além de autoestima, um porto seguro. Se tudo desse errado, eu teria para onde voltar. E muito feliz. Eu sabia o que queria no palco.

Durante a temporada de *A máquina* no Rio, dei a sorte de o cinema nacional estar vivendo um momento dos mais efervescentes. Em um mês fiz teste para sete filmes e passei em cinco: *As três Marias, Madame Satã, O homem do ano, Uma onda no ar* e *Cidade de Deus*. Eram tantos projetos que não participei dos últimos dois por falta de tempo. Ser protagonista de *Madame Satã*, de 2002, foi uma grande surpresa. Seu Jorge, o cantor, inicialmente faria o papel. Mas logo depois foi escalado para interpretar o Mané Galinha em *Cidade de Deus* e deu preferência ao segundo convite. Acabei vivendo Madame Satã no lugar dele, e o personagem foi importantíssimo para minha carreira deslanchar, me abriu um espaço inimaginável até então.

Satã era negro, gay, pobre, e seu corpo era sua única arma. E ele fez uso dessa arma, seja na capoeira, na sexualidade ou como artista nos palcos. Entender esse personagem como um homem que conseguiu se reinventar a despeito do pouco acesso a dinheiro e status social me fez perceber como é possível — e necessário — contar boas histórias invertendo o ponto de vista comum: Satã não é tratado como um coadjuvante de sua própria vida, ele é o senhor do seu destino. Ele tem características que eu até hoje busco em meus personagens e que podem ser resumidas do seguinte modo: ele não pode ser explicado numa frase.

Vocês não podem imaginar o medo que senti desse anti-herói. Eu tinha apenas 21 anos e, sinceramente, não sabia se teria capacidade para expressá-lo em toda a sua complexidade. E, se conseguisse, sua força era tamanha que eu tinha medo de ficar marcado como ator de um personagem só. No final, posso dizer que foi libertador. Encontrei um diretor — Karim Aïnouz

— que me desafiava o tempo todo e sempre achava que eu podia fazer mais. Ele me ensinou que eu deveria ser livre em cena e isso foi um marco na minha trajetória, porque o maniqueísmo, em algum momento, poderia ser uma prisão. Explico: a busca constante por uma representatividade negra no palco e o desejo de suprimir as lacunas que uma dramaturgia viciada nos impõe poderiam me levar à ideia de que só devemos investir em heróis negros em contraposição a heróis brancos. Satã me mostrou que não é assim. Esse anti-heroísmo não maniqueísta de Satã eu reencontrei anos depois no Foguinho, meu personagem em *Cobras & Lagartos* (2006), e na comédia.

Depois que os primeiros filmes foram lançados, comecei a ouvir nas ruas: "Você é a cara de alguém que eu conheço...". Felizmente, o cinema tinha começado a olhar para atores como eu. Ou, como eu gostava de dizer, o brasileiro não oficial, aquele que a TV e o cinema não oficializavam como possível protagonista.

A partir daí, fiz vários filmes. Comecei a viajar pelo país e pelo mundo, a conhecer outras realidades, a receber prêmios. Ih, está ficando muito próximo de uma autobiografia, não é? Enfim... Sigamos, pois o barco nos trouxe até aqui. E assim se desenvolveu uma carreira cujas informações você pode acessar em blogs, sites e entrevistas. O que não está disponível nesses lugares é algo que permaneceu comigo durante todo esse tempo, algo sensorial e difícil de descrever com palavras. Os desafios de ascender socialmente e se inserir em outra realidade sendo uma exceção. Os olhares reais e os de soslaio. Os subtextos que se percebem nas entrelinhas. Os medos e as sutilezas do preconceito. A solidão. Será que consigo vencê-los? E será que consigo vencê-los suprindo também o desejo de exercer a minha profissão com liberdade e criatividade?

Minha carreira estava caminhando, e, apesar de ter a agenda de trabalho sempre cheia, me faltava algo. Ainda não tinha sido o proponente de nenhum projeto meu. Eu defendia os sonhos de outras pessoas.

Em 2005, fui chamado ao Canal Brasil para apresentar um programa de turismo. Entendi que o momento era aquele. Imediatamente disse que tinha outro projeto pronto. Um programa de entrevistas sem formato, mas com origem numa reflexão proposta pelo espetáculo *Cabaré da raça* (1997), do Bando de Teatro Olodum.

O canal acreditou na minha ideia, mas por via das dúvidas me fez uma oferta: para que eu recebesse o investimento em cinco edições do tal programa *Espelho*, eu teria de dirigir um minidocumentário para uma série deles chamada *Retratos brasileiros*. Eu podia escolher algum artista e fazer o programa com ele.

Depois de muito pensar me lembrei do Zózimo Bulbul, cineasta e primeiro protagonista negro da TV brasileira. Zózimo foi o personagem principal da novela *Vidas em Conflito* (1969), da Excelsior, em que ele fazia par romântico com Leila Diniz. Eram um casal, mas nunca se beijavam na frente das câmeras, nem mesmo quando a personagem da Leila apareceu grávida. Ele e Leila decidiram questionar a equipe de criação: por que não havia cenas de beijos para que pudessem demonstrar seu amor, ainda mais se Débora (personagem da Leila) teria um filho de Rodney (Zózimo)? Depois da recusa da equipe em alterar o roteiro, decidiram fazer uma greve. Também não deu certo, e, ao fim da novela, os dois terminaram separados, sem nenhum beijo, e Zózimo tinha se tornado coadjuvante. Isso ele me contou. Contou também como foi dirigir o até hoje celebrado curta-metragem *Alma no olho* (1973), que me emocionou como a uma criança com aquelas cenas sem nenhuma palavra, mas que tanto falavam. Zózimo fez *Alma no olho* porque não aguentava mais ter sua história contada pelos outros. Mesmo sem ter experiência em ficar atrás das câmeras, decidiu que era hora de fazer sua voz ser ouvida. O curta é totalmente sensorial e tem uma força enorme. Visto hoje, continua atual. Ao fim da entrevista, Zózimo me segurou pelos ombros e disse: "Tá vendo aquilo ali?". E apontou para a câmera. "Aquilo é uma arma. Use-a."

A conversa com Zózimo me fez sonhar mais. Me fez pensar em como nos é negada a possibilidade de sonhar, de querer mais, de saber que é possível.

"Seu lugar é aquele onde você sonha estar." Sei que já disse isso lá atrás, caro amigo, mas é isso mesmo. Eu sempre repetia essa frase em conversas de bar, nas peças que escrevia, em artigos e palestras, sem saber por que não conseguia me livrar dessa sentença-chiclete. Hoje assumo: precisava propagar essa ideia, a ideia de que o sonho é a meta. Há que se desejar mais e que pensar que é possível. Ela é o oposto de outra frase muito perigosa e frequentemente dita por aí: "Vá procurar o seu lugar". Como se houvesse um lugar predeterminado que alguém fosse obrigado a ocupar porque não há como escapar dele. Eu sentia que não éramos estimulados a quebrar barreiras nem a enfrentar obstáculos. Por isso repetia a minha frase. Como uma questão política — talvez até emocional e simbólica. Ela virara o meu mantra.

Minha ideia inicial era falar mais sobre essa frase no final do livro, mas decidi que quero fazer isso agora. Me perdoem as digressões.

Hoje posso dizer que meu lugar é aquele onde eu sonhei estar. E talvez você ache que é justamente por isso que resolvi implicar com esse que foi meu mantra por anos, mas a vida é assim, a gente reformula nossas opiniões e certezas o tempo todo. Será que quando eu digo essa frase para um menino negro que mora numa comunidade não estou sendo de alguma forma simplista demais? Claro que eu acho que o lugar dele é onde ele sonha estar, mas me pergunto se não deveria primeiro dizer a ele que é importante que ele busque seu próprio sonho e não o de outra pessoa. Porque o racismo prega peças, nos faz muitas vezes desejar a identidade do outro. Acho que devo lembrá-lo também que o caminho será difícil e que ele não terá as mesmas chances de um menino branco, por exemplo. Mas não me desfaço da frase, ainda acredito que o lugar de cada um é aquele onde ele deseja estar. A grande escritora Conceição Evaristo me ensinou algo que nunca vou esquecer. Ela diz que temos visto nos últimos tempos pessoas negras de estratos populares chegarem às universidades, a postos de comando no mercado de trabalho etc. São histórias exemplares, mas também perigosas. Devemos fazer uma leitura de que somos exceção. Quando nos prendemos muito a esse elogio da história pessoal ("ela veio da favela e conseguiu"), corremos o risco de dizer que o outro não conseguiu porque não quis, e isso não é verdade. A exceção simplesmente confirma a regra.

Toda essa discussão me remete para o lugar da família. O que as famílias estão ensinando e mostrando aos seus filhos? Durante um tempo fiquei obcecado com isso. Incansavelmente comecei a fazer a mesma pergunta no *Espelho*: Como é a sua família? De onde você vem?

Todos os meus entrevistados, invariavelmente, ganhavam novo vigor ao falar de suas famílias. Contar sobre suas origens, eu notava, era algo perseguido e desejado por muitos negros que tinham o microfone na mão. A necessidade de contar a própria história passa pela conquista da identidade e me lembra muito do impacto que foi descobrir a trajetória de Luiz Gama* e Luísa Mahin, que conheci mais profundamente depois de ler o romance *Um defeito de cor*, da Ana Maria Gonçalves. Encontrei ecos disso

---

* Luiz Gonzaga Pinto da Gama nasceu em 21 de junho de 1830, na Bahia. Um dos poucos intelectuais negros no Brasil, aos dez anos Luiz foi vendido como escravo pelo pai para pagar uma dívida de jogo e transportado para o Rio de Janeiro. Autodidata, se alfabetizou aos dezessete anos. Aos dezoito fugiu para São Paulo. Destacou-se como jornalista, consagrando-se como um dos maiores líderes abolicionistas do país. Faleceu em 1882.

nos depoimentos de muitos no *Espelho*. Eles falam da sua origem negra de uma maneira fabular, como se fosse uma saga. Quando Luiz Gama inventa uma mãe para lhe dar uma origem, uma mãe africana nagô livre que lutou pela sua liberdade, ele está fazendo o mesmo que os cantores Seu Jorge, Liniker, Ricco Dalasam, o escritor e sambista Nei Lopes, o ativista social Celso Athayde, a dra. Sueli Carneiro, o antropólogo Celso Prudente e vários outros. Trata-se de uma busca para descobrir quem cada um é, e de afirmar e reafirmar com orgulho suas identidades e origens, que tantas vezes são omitidas, escondidas. Ana Maria, na entrevista que deu a *Espelho*, analisou que o fato de Luiz Gama ter recriado a mãe era perfeito para falar sobre cultura negra, sobre a necessidade de o movimento negro recriar seus antepassados. Por isso ela insere no passado a responsabilidade de deixar um legado para o presente, não o contrário. Precisamos ter nossos registros, principalmente porque nossa cultura é muito oral e foi desprezada por décadas e mais décadas pelos que escrevem oficialmente a história.

Ana Maria Gonçalves lembra que boa parte da população branca do Brasil conhece bem "suas origens europeias e cultiva, com carinho e orgulho, o sobrenome italiano, o livro de receitas da bisavó portuguesa, a menorá que está há várias gerações na família". Acho que todos nós concordamos com isso, não? Mas... como foi com os descendentes de africanos que aqui aportaram? A experiência do tráfico eliminou os registros dos lugares de onde eles saíram, redefinindo-os em etnias genéricas (como Mina, que na verdade se refere aos embarcados na costa da Mina). Os traficantes fizeram os negros escravizados darem voltas em torno da Árvore do Esquecimento* para que zerassem suas memórias,

---

* Em A Árvore do Esquecimento, que fica no litoral do Benin, os escravizados cumpriam um ritual de perda da memória para que não pudessem amaldiçoar seus captores.

apagando assim o rastro de suas histórias. Os negros da diáspora passaram pela Porta do Não Retorno "para que nunca mais sentissem vontade de voltar", foram separados em lotes onde se prezava a diversificação, justamente "para que não se entendessem".*

A jornalista Glória Maria falou no *Espelho* em 2013 sobre sua família. Ela disse que teve muita dificuldade para lidar com a realidade porque vinha de uma família em que a história da escravidão, que não aprendeu em livros, era contada pela avó. "Ela não me ensinou nada de 'Você tem que casar', ela só dizia assim 'Olha, você tem que ser livre, porque a nossa história é uma história de escravidão'. E ela falava isso muito naturalmente, era a única coisa que ela sabia. 'Você não pode deixar nunca que tirem sua liberdade, você não pode ser escrava de novo'. Então isso eu tento passar para as minhas filhas, que elas têm que ser livres sempre, a qualquer preço, a qualquer custo. Eu não quero fazer crianças ambiciosas, crianças vencedoras, eu quero fazer crianças reais, felizes."

Aqui não há como não lembrar o que aconteceu no dia 27 de dezembro de 2002. Eu estava em plena filmagem de *Pastores da noite*, meu primeiro trabalho na TV aberta, dirigido pelo meu grande amigo Sérgio Machado e baseado na obra homônima de Jorge Amado, quando ouvi falar que tinha sido promulgada a Lei 10.639.** Um fio de esperança surgiu.

Mas não falemos da lei, falemos de algo que ouvi da professora Vanda Machado, egbomi do terreiro Ilê Axé Opô Afonjá, numa das muitas conversas que tivemos ao longo do caminho. É uma lenda africana sobre origem adaptada por Vanda e Carlos Petrovich, seu

---

* Ana Maria Gonçalves, *The Intercept Brasil*, 15 fev. 2017. Disponível em: <goo.gl/9HALJs>. Acesso em: 21 fev. 2017.
** A Lei 10.639, de 9 de janeiro de 2003, torna obrigatório o ensino da história e cultura afro-brasileira e indígena em todas as escolas, públicas e particulares, do ensino fundamental até o ensino médio.

marido, e que descreve melhor os caminhos da lei do que qualquer explicação minha. Chama-se "O espelho da verdade". Me disse Vanda, no quadro de encerramento de uma das temporadas do *Espelho*, que no princípio havia uma única verdade no mundo (em todo fim de programa dessa temporada, Vanda fazia um quadro em que falava como o candomblé é de uma sabedoria enorme — e aplicável — sobre nossas questões existenciais e mesmo sociais).

Entre o Orun (o mundo espiritual) e o Aiyê (mundo material) existia um espelho, e tudo o que aparecia no Orun materializava-se no Aiyê. Ou seja, o mundo espiritual refletia exatamente o mundo material e não havia a menor dúvida de que cada acontecimento constituía uma verdade absoluta. Portanto, todo cuidado era pouco para não quebrar o espelho da verdade, que ficava justamente entre os dois mundos.

Mas vivia no Aiyê uma jovem chamada Mahura. A jovem trabalhava dia e noite ajudando sua mãe a pilar inhames. Um dia, desavisadamente, ao perder o controle do movimento ritmado da mão do pilão, bateu forte no espelho, que se espatifou, lançando seus cacos pelo mundo. Assustada, Mahura foi se desculpar com Olorum. Qual não foi a sua surpresa quando o encontrou tranquilamente deitado à sombra do Iroko, uma árvore considerada sagrada para os africanos. Olorum ouviu as desculpas da jovem atentamente e, em seguida, declarou que daquele dia em diante não existiria mais uma única verdade. "Quem achar um pedacinho do espelho estará encontrando apenas uma parte da verdade, porque o espelho reproduz apenas a imagem do lugar em que se encontra."*

* Vanda abre um dos capítulos de sua tese justamente com essa lenda. Ver *Àqueles que têm na pele a cor da noite: Ensinância e aprendências com o pensamento africano recriado na diáspora.* Universidade Federal da Bahia/ Faculdade de Educação, Salvador, 2006.

Esses somos nós, reflexos de um espelho quebrado que, como um mosaico, apresenta um pedacinho de nossa história. Se visto com carinho, cada pedaço pode ter sua beleza, valores e complexidades reconhecidos. Para isso têm surgido novas vozes, novos portadores do microfone, prontos para ampliar suas falas, experiências e histórias. Ouçam as vozes desse Brasil plural e nosso.

CONEXÃO

Regido por esse despretensioso fluxo de ideias, me sinto tentado a fazer uma parada. Até aqui me fiz tantas perguntas... Mas será que você, leitor, é um jovem em busca de referências? Ou será que você é como eu quando adolescente, que queria bater um papo sobre as identidades em formação, mas sem um viés acadêmico? Só um papo que trouxesse conforto e em que eu pudesse me espelhar... Quando, neste livro, eu sou você? Onde nos encontramos? Em nossas semelhanças ou em nossas discordâncias? Um medo me invade. O medo de não conseguir dizer tudo, de ser simplista ou de deixar algo de fora me paralisou. O fato é que fiquei um bom tempo sem conseguir continuar a escrever. Sei que talvez eu fale sobre alguns temas com aquela espécie de impostação que lembra os abolicionistas das séries de TV brasileiras. Por outro lado, como não ser assim? A saída foi permitir que o fluxo contínuo e impreciso de meus pensamentos me conduzisse nesse papo sobre o corpo e a pele em que habito. Essa se mostrou a única saída. A partir daqui, minhas memórias continuam, mas quero que sejam meros pretextos para seguirmos outro fio condutor. Quero falar mais de políticas afirmativas, de conflitos de opinião e das dores do racismo. Talvez faltem piadas e poesia. Mas estou tentando levar essa conversa movido pela mesma maré imprecisa em que naveguei a vida inteira. Portanto, encerre a leitura aqui ou siga por águas um pouco mais incômodas.

Imaginário

Nem tudo na vida é organizadinho e óbvio. A questão racial nos afeta sem às vezes nos darmos conta. Todo mundo conhece alguém que foi discriminado, mas numa roda ninguém levanta a mão para se dizer racista. O geógrafo Milton Santos deu uma palestra* em que dizia que os professores Florestan Fernandes e Octavio Ianni escreveram que o brasileiro não tem vergonha de ser racista, e sim de dizer que é racista. Isso nunca fez sentido pra mim. Racismo é racismo, ponto. Temos que combatê-lo. Assim como nunca fez sentido pra mim a ideia de que o racismo é, na verdade, uma questão dos negros.

Quais são as armas mais eficazes para combater o racismo? A reverência à nossa origem africana, a afirmação estética, medidas políticas? Esses questionamentos sempre estiveram comigo, mas um evento os tornou vitais, caso de vida ou morte mesmo: o nascimento dos meus filhos.

* "Como é ser negro no Brasil", por Milton Santos. Disponível em: <www.geledes.org.br/como-e-ser-negro-no-brasil-por-milton-santos/#gs.FVu53ww>. Acesso em: 29 dez. 2016.

João Vicente nasceu em 2011 e Maria Antônia, em 2015. São inevitáveis as perguntas que vêm à cabeça de todo pai: serei capaz de educá-los? Terei dinheiro para sustentá-los? Serei um bom exemplo? Mas, meu caro amigo, meus filhos me trouxeram outras perguntas. Das mais banais, como "Que tipo de livro e desenho animado vou comprar pra eles?", até as mais dolorosas, como "Se ou quando ele for discriminado, o que eu vou fazer?".

Não dá para ignorar o fato de que, sendo eles crianças negras, alguns desafios teríamos que enfrentar. Quando entrevistei a Glória Maria no *Espelho*, lembro que ela me falou da dificuldade de criar as filhas em um mundo branco. Você vai procurar uma boneca negra, não tem; um brinquedo que fale das origens delas, não tem. Glória me disse que as meninas muitas vezes chegavam da escola com a seguinte pergunta: "Mamãe, eu sou branca?". Isso porque na escola delas só havia crianças brancas, elas eram as únicas negras. "Não, você é negra. Tem gente negra, tem gente de pele vermelha, amarela, tem gente alta, baixa, gorda, magra. Tem gente de todos os tipos, e nós somos negros."

Desde que meus filhos nasceram não consigo mais pensar apenas em mim. Minha prioridade é criar um ser humano pleno, feliz, seguro e amado. Então, como fazer com que eles, desde pequenos, estejam prontos para um país tão desigual sem passar pela dor de perder a infância antes da hora, sem antecipar nenhum assunto?

Claro que minha mente fica dando saltos e já sinto essa mesma agonia quando penso neles adolescentes, quando a rua poderá ser um perigo maior e mais constante, quando eles nem sempre estarão em nosso ninho protetor. A cada manchete de um menino ou menina que sofreu abuso apenas por sua aparência, meu corpo se arrepia e começo a traçar uma estratégia, um plano, já antevendo que este terá de ser adaptado a cada ano, para acompanhar as mudanças do mundo e deles. Como dizem, depois dos filhos nunca mais o sono é o mesmo.

Comecei por algo que, a princípio, parece banal. Os produtos, incluindo material audiovisual para crianças, que contemplam o negro e suas representações. Meu filho nasceu depois do lançamento de produções como *Karatê Kid* (2010), a versão que traz Jaden Smith no papel principal; o filme franco-belga *Kiriku* (1998), que conta lendas africanas em que o herói é um pequeno garoto muito veloz e inteligente; *Little Bill* (1999-2005, 2014), série em animação cujo personagem central é um menino inspirado no ator Bill Cosby; o Homem-Aranha Negro da Marvel (2015); *Doutora Brinquedos* (2012-4) e tantos outros personagens criados para suprir a demanda de protagonistas negros em produções infantis. Fez diferença meu filho ter acesso a esses produtos. Hoje também existem bonecas negras (entre na internet e você encontrará algumas) e vários livros infantis que contemplam a cultura negra. Isso é um alívio.

Fazer com que meus filhos se vissem como protagonistas das histórias e não como o "melhor amigo" ou o "amigo cômico" que só serve para aconselhar o personagem principal e que não tem vida própria foi o foco inicial. A lista acima traz protagonistas negros e histórias de heroísmo sem abrir mão do caráter lúdico, da aventura e de tudo aquilo que uma boa trama precisa ter. Que bom que eles podem desfrutar disso. Inundar uma criança com referências positivas sobre seu lugar no mundo é o primeiro passo para aumentar sua autoestima. Sempre que uma criança admira as características físicas e a personalidade de um personagem, se identificando com ele, ela aprende a gostar um pouco mais de si mesma.

Além disso, essas produções possuem algo fundamental: são mais um tijolo na construção de novas identidades, com a capacidade de imprimir no imaginário de todas as crianças, brancas ou negras, um tipo que nem sempre esteve presente nas produções feitas para elas.

A Tiana, de *A princesa e o sapo* (2009), a primeira protagonista negra da Disney, eu inicialmente vetei da lista de filmes do João. Apesar de gostar da ideia de ela desejar ser independente e ter como objetivo ascender socialmente se tornando uma empresária, dona de restaurante, a demonização da religião de matriz africana me causou enorme incômodo. Acho que uma visão não demonizada é um passo a ser conquistado, seja porque eles podem vir a ter essa religião, seja porque é importante passar o valor de respeito a todas as crenças. Meu primeiro ímpeto é acompanhar os meus pequenos de perto e, quando sentir que eles estão confortáveis para serem quem são, eles devem assistir ao filme, até para entenderem as sutilezas e as possíveis interpretações da história. Essa é mais uma reflexão em aberto desta longa jornada que é criar um filho.

Aos poucos, eu e Taís fomos formando seus imaginários e o de todos que os cercam. Sim, os mesmos livros que compro para eles dou de presente para seus amigos de escola. Sim, dou bonecas negras mesmo para seus amiguinhos mais loiros. Fico atento a essa questão e, buscando em várias fontes, encontrei uma boa variedade de livros que trazem personagens negros, ainda mais se se comparar com a ausência de material assim na minha infância. Lembro uma vez em que dei o mesmo livro para um amigo do meu filho e ele muito sinceramente disse: "Ah, não, esse livro de novo...". A sorte é que eu tinha outro título à mão e rapidamente troquei.

Está ficando entediado com o papo? Espere um pouco que já faço uma piada.

Está achando a conversa banal? Talvez seja mesmo.

Sigamos...

O pensamento, a educação, as ideias, tudo o que diz respeito à formação das crianças evoluiu muito, e, independentemente da questão política, é muito divertido e prazeroso ter contato com novas abordagens e realidades. Na minha época, todas as vezes em que vi algum personagem com a tez mais escura, ele era um melhor amigo engraçado ou um coadjuvante esporádico em algum desenho animado ou numa série cômica norte-americana. Havia a Diana, a linda heroína do desenho *A caverna do dragão* (1983-5); mas ela, apesar de linda e corajosa, era mulher, e eu não conseguia me imaginar dentro daquele short e do top de pele de animal (nunca me vi usando aquela roupa numa festa infantil de bairro). Tá vendo? Já fiz uma piada.

Nas produções brasileiras, havia naturalmente o Saci, a Tia Anastácia e o Tio Barnabé, que habitavam o nosso imaginário. Mas eu tenho duas pernas, não fumava charuto e não me interessava pelos mistérios da cozinha. Também não tinha o sonho de morar numa fazenda, numa floresta ou de servir alguém, mesmo porque servir alguém naquele contexto não valia de nada. Afinal, era Tia Anastácia quem cozinhava e o nome do biscoito era Dona Benta. Ou seja, nem reconhecimento pelo seu trabalho ela tinha.

Podem me apedrejar, mas Monteiro Lobato, no que diz respeito a personagens negros, não me representa. Ai, meu Deus, Lázaro usou um clichê — "me representa" —, daqui a pouco ele fala "empoderar", "sustentabilidade" e "quinoa". Tempos depois, após ler sobre sua simpatia pela eugenia,* assumi que eu devia

---

* As discussões sobre eugenia entraram no Brasil nas primeiras décadas do século XX. Em linhas gerais, a eugenia simbolizava para as elites republicanas progresso e civilização, pois pretendia "melhorar" o aspecto físico, moral e mental da raça brasileira por meio do branqueamento. Vícios, degenerações físicas e males sociais estavam associados aos negros. Justamente por o Brasil ser uma nação mestiça, o estudo e a aplicação da eugenia foram considerados uma prioridade.

usar meu direito de optar por qual informação ou produto eu queria passar para minhas crianças. Sei do valor da escrita do Lobato e da força de seus personagens, não discuto isso, mas nesse momento escolho oferecer outro imaginário para meus filhos. Mesmo porque o mundo os apresentará a esses modelos de escrita e nem sempre nele terá um Nei Lopes, uma Cidinha da Silva, uma Kiusam de Oliveira ou um Joel Rufino dos Santos para falar de outro lugar, mostrar que há outras referências.

No papo com a filósofa e poetisa Viviane Mosé no *Espelho*, ela me trouxe uma imagem bela e poderosa. Ela disse que o ser humano nasce muito amplo. Um bebezinho pensa que é parte da parede, da mãe, de tudo, ele não tem clareza de que é um contorno com começo, meio e fim. Tanto que a criança, quando é bebê, começa a brincar com o pezinho para saber onde começa, para ter a noção do seu tamanho. Ou seja, a gente não tem, a priori, uma referência. Quem nos dá essa referência é a cultura. O que não significa que a criança receba tudo passivamente; ela acolhe, adapta, guerreia com as referências culturais que chegam a ela.

Fica então a pergunta: se não existirem referências da cultura negra, ou se todas elas forem negativas ou por demais insignificantes, isso não impactará diretamente na nossa capacidade de sonhar, de nos sentirmos possíveis, de nos identificarmos com alguém?

No lançamento do meu livro infantil *Caderno de rimas do João*,* uma repórter me perguntou sobre heróis negros na literatura. Respondi que, hoje em dia, um pai atento encontra material que contempla a diversidade, e torço para que toda e qualquer criança possa ter acesso a essa nova literatura. As crianças, e aqui me refiro a toda e qualquer criança, só têm a ganhar.

* Lázaro Ramos, *Caderno de rimas do João*. Rio de Janeiro: Pallas, 2017. Ilustrações de Mauricio Negro.

Naturalmente, recebo uma saraivada de opiniões sobre a questão racial. Um número relevante minimiza a questão ou diz ser puro mimimi. Escolhi alguns exemplos do que chega até mim para citar aqui:

"Não existem heróis negros, existem heróis".

"Já que você procura exibir a diversidade, quantos personagens japoneses você colocou no seu livro?".

"Mas... e o Pelé?".

Quanto a isso, a Conceição Evaristo disse uma coisa, numa recente entrevista que deu para o *Globo*, que quero muito dividir: o "negro cantor ou atleta é lugar-comum. Nós queremos ver os negros aceitos como intelectuais, professores ou escritores. Uma pessoa negra não representa toda a nossa diversidade. Somos muitos".* (Ela não estava falando do Pelé, mas tem tudo a ver, não acha?)

Reparou que voltei a falar sobre origem? Encontro uma fala do cineasta Joel Zito Araújo que nos ajuda. Ele diz que a constatação de que somos uma nação miscigenada serviu para enfatizar e ao mesmo tempo negar as nossas origens africanas e indígenas. Dizer "Vamos ignorar a raça porque somos todos seres humanos" é, na verdade, uma cilada. Quando você vê uma novela, seja mexicana, venezuelana ou brasileira, os belos são brancos; a subalternidade é representada pelo negro e pelo mestiço, que nunca são destacados como modelos de beleza e de nação. E Joel segue dizendo que o ideal é compreendermos que somos uma nação formada por várias etnias e valorizar as distintas contribuições que cada uma delas nos

* Sérgio Luz, "Escritoras dialogam com o curador da Flip na mesa De Onde Escrevo". *O Globo*, 29 jun. 2016. Disponível em: <http://oglobo.globo.com/cultura/livros/escritoras-dialogam-com-curador-da-flip-na-mesa-de-onde--escrevo-19610940>. Acesso em: 10 dez. 2016.

trouxe, sem impor um padrão correto ou exemplar a ser perseguido. Sinto que a nova dramaturgia tem demonstrado interesse em contemplar essa fatia do público, ainda que timidamente. Vejo nas novelas atrizes com padrões estéticos diversos, personagens exercendo profissões mais diferenciadas e profissionais negros frequentando programas de entrevistas, o microfone nas mãos da chamada juventude empoderada. Tudo bem que o microfone está com eles porque eles estouraram na internet e mostraram sua força (e sem a ajuda da TV, é bom lembrar). Torço para que não seja apenas uma fase, mas um fortalecimento da construção de identidades.

Se você ainda considera esse um assunto banal, vamos mudar a nossa rota para algo um pouco mais histórico.

Você já se perguntou a partir de quais referências os indivíduos formam suas identidades? É válido o argumento defendido por alguns de que já nascemos fadados a ser isso ou aquilo? Lembra coisa do século XIX, mas essa parecia ser a crença, por exemplo, dos idealizadores de uma campanha publicitária feita na Bahia dois anos depois do meu nascimento, na década de 1980. Foram afixados cartazes, em Salvador principalmente, mostrando a imagem de uma mulher negra grávida, acompanhada de dizeres que indicavam o planejamento familiar, entre outras medidas contraceptivas, como forma de impedir o aumento da criminalidade. O modo assustadoramente preconceituoso de apresentar (e representar) os negros adotado nessa campanha publicitária, o de o ventre negro gerar marginais, invariavelmente é fruto de uma das concepções supostamente superadas de como são formadas as identidades de indivíduos que são frutos de processos de escravização. A ideia da raça negra como sinônimo de degeneração parece ter perdurado.

A antropóloga e historiadora Lilia Schwarcz tem uma extensa reflexão sobre esse assunto e diz uma coisa muito interessante: se houve uma teoria de fato criada no Brasil, foi a teoria do branqueamento, que acreditava que, quanto mais clara fosse a cor da pele do brasileiro, mais progresso e desenvolvimento conquistaríamos para o país. Lilia diz que basta olhar para nossos censos para verificar como a raça ainda é uma questão delicada: as populações negras morrem mais cedo, têm menos chance de conseguir trabalho, são alvos preferenciais da polícia e da Justiça. Vejam como as conexões entre o que vivemos hoje e os eventos do passado são fundamentais e conformadoras de muitos de nossos comportamentos: numa entrevista ao Dráuzio Varella, Lilia conta que, na época da escravidão, um negro que tivesse conseguido sua alforria e estivesse viajando pelo Brasil podia ser apreendido a qualquer momento pela polícia como "suspeito" de ser um escravizado. Por isso, ainda que a alforria estivesse em seu bolso, ele se locomovia como um "escravo fujão". Portanto, se vocês acham que alforria e liberdade são palavras sinônimas, esqueçam. E o que ocorre nos dias de hoje não é muito diferente: o menino negro que é apanhado pela polícia deve mostrar pronta humildade para que não seja confundido com um bandido antes que possa provar que não o é. Notaram alguma semelhança com o negro alforriado?

A propósito, uma das entrevistas de que mais gostei de fazer no *Espelho* foi com Ana Maria Gonçalves. Me lembro dela também dizendo que, durante o processo de abolição, o que as elites quiseram fazer foi um branqueamento da sociedade brasileira. Não havia interesse em integrar os negros, o interesse era que eles desaparecessem. Notem que, quando falamos de um europeu, sempre especificamos se ele é inglês, português, francês; quando falamos de um africano, falamos um africano, e não de onde ele é. A África é um continente, sabiam? Cada região possui características próprias. Ainda citando a Ana Maria, ela diz que uma das formas de romper com uma tradição cultural é tirá-la de suas raízes, e isso foi feito quando os negros vieram para o Novo Mundo como uma massa compacta, sem singularidade. Um jeito que o Brasil arrumou para não valorizar esse passado das nações africanas foi tratar o passado europeu como a História (com H maiúsculo) e o passado africano como etnografia.

Cada vez que surge uma produção com ou sem negros, há polêmica. É claro que esse virou um terreno de disputas com muitas camadas interpretativas, portanto toda vez que um negro aparece numa tela é difícil saber qual é o caminho mais adequado a ser seguido. Vale aparecer numa novela com um papel subalterno porque é melhor isso do que não aparecer? Temos que fazer questão de personagens apenas com qualidades, sem defeitos, perdendo assim a humanidade? O problema é: fazer uma empregada doméstica/porteiro ou fazer uma empregada doméstica/porteiro com uma história sem qualidade? A questão está apenas nos personagens ou na caneta de quem escreve e na batuta de quem dirige? Muitas perguntas, não? À medida que formos avançando, você certamente exercitará a reflexão e terá uma opinião sobre o assunto. E, como estamos falando sobre o processo de compreensão das identidades, quero seguir pensando na luta pela ocupação dos veículos midiáticos, algo que é realmente importante, porque eles têm a capacidade de disseminar modelos.

Obviamente não estou dizendo que a mídia é o meio por excelência para se conquistarem as identidades negras, mas seu poder é inegável. Não vamos esquecer que existe um público sempre ávido e acostumado a consumir e a acompanhar o que a televisão, o cinema e a internet veiculam. A equação não é simples, o fato de inserir o negro de forma positiva na mídia não significa que a sociedade o aceitará melhor. Mas é nosso papel brigar por isso. Gosto de pensar na mídia de outro jeito também, como um termômetro — podem ter certeza de que mudanças na mídia correspondem a mudanças na sociedade.

Claro que você imediatamente lembrou de três ou quatro exemplos de novelas, filmes, minisséries ou propagandas que não fazem parte desse caldo, que podem ser considerados um "desvio" no que se costuma produzir. E isso é bom, comprova que é possível uma nova abordagem. Celebremos. Mas o exercício de estar atento para representações danosas é importante e precisa ser feito. Isso nos faz compreender quem somos e para onde queremos ir.

Que os negros são a maioria da população brasileira, mas a minoria na televisão, todos nós sabemos. Outro dia li um texto sobre os estereótipos das novelas brasileiras, escrito pela Lara Vascouto, criadora do site Nó de Oito,* que mostra que o buraco é mais embaixo. O Geema (Grupo de Estudos Multidisciplinares da Ação Afirmativa) resolveu calcular quantas vezes os negros tiveram papéis centrais nas novelas, e aí a discrepância com relação aos brancos é realmente estarrecedora. Não quero ficar aqui repetindo o artigo da Lara, mas não resisto a apresentar alguns números.

Entre 1994 e 2014, apenas 4% das protagonistas das novelas da Rede Globo foram interpretadas por mulheres não brancas — o que, comparado com outros tempos, é um ponto positivo, que inclusive é divulgado e celebrado pela emissora, mas as negras continuam sendo exceção. Outro fato que o artigo divulga é que

---

* "Oito estereótipos racistas que novelas brasileiras precisam parar de usar." Disponível em: <http://nodeoito.com/estereotipos-racistas-novelas-brasileiras/>. Acesso em: 20 dez. 2016.

apenas três atrizes se revezaram para interpretar essas personagens. Taís está entre elas. Quando ela foi ao *Espelho*, em 2014, falou sobre sua experiência com capas de revista, que, acho eu, também poderia se aplicar a esse caso.

"Quando falam que a revista tal não coloca negra na capa e eu vou ser a primeira negra, eu me despenco, vou para São Paulo, passo o dia inteiro fazendo fotos, porque eu acho que tem uma posição política nisso. Das revistas em que fui a primeira negra na capa, eu já fui capa mais duas ou três vezes. Mas aí tem o lado não tão legal, porque só eu fui duas ou três vezes capa. Então, para mim, já não tem mais essa validade toda. Eu não sou a única negra trabalhando na televisão, não sou a única atriz negra considerada bonita. Fico me questionando: 'Será que vale meu domingo tanto assim?'. Valeria se fosse eu e dois meses depois outra, e três meses depois outra. Aí eu teria certeza de que perder meu domingo com minha família estava valendo a pena de fato. Dá uma canseira. Será que está valendo tudo que eu achava que valeria? Não sei."

E a coisa piora. Voltando ao artigo da Lara, ela diz que são raros os casos em que um personagem negro não é apenas um receptáculo de estereótipos. Você, caro leitor, se assiste a novelas, reconhecerá imediatamente todos os oito tipos que ela identificou.

1. A mãe preta que faz tudo pelos patrões;
2. A empregada doméstica espevitada, servil, bisbilhoteira, sedutora, cômica ou submissa;
3. O fiel amigo do jagunço (que é, na verdade, a versão masculina da empregada doméstica);
4. O escravo (um clássico, não é mesmo? Falarei mais sobre isso depois);
5. A negra fogosa e sensual;
6. O malandro;

7. O negro "perfeito", termo inventado por Joel Zito Araújo para designar o negro que se afasta de sua origem e se torna, assim, mais aceitável aos olhos dos brancos;
8. O negro "escada". Explico: ele só está lá para mostrar como o personagem branco é bom, ou mau, ou mais importante que ele.

Veja bem: para mim, que vivi personagens tão diversos, ficar falando sobre esse assunto pode parecer incoerente. Tenho na minha lista de personagens vários arquétipos que são um privilégio (e não estão na lista acima). Mas, volto a dizer, essa é uma experiência de exceção que muitas vezes só confirma a regra. Paro para pensar rapidamente com quantos atores negros compartilho esses privilégios e calculo que, no máximo, não passem de meia dúzia.

Dando uma guinada para o campo da publicidade, me lembro de uma propaganda de carro do ano de 2010 em que uma mulher e seu marido passeavam em seu novo veículo, quando ela diz: "Amor, sabe o que a gente pode ter de melhor?". O carro para e ela compra um quadro. Eles seguem. A mulher... sim, era uma mulher branca com os cabelos negros. "Amor, sabe o que a gente pode ter de melhor?" Param novamente e dentro do carro aparece uma TV enorme. E assim seguem, colocando um monte de objetos dentro do carro, mostrando a amplitude do veículo e a quantidade de coisas que poderiam caber nele. Num dado momento, o homem já exausto pergunta para a mulher: "Amor, sabe o que eu posso ter de melhor?". Na cena seguinte, aparece o homem com quatro loiras no carro, uma em cada assento. Qual é o problema? Ah, é humor. Sim, é. Mas, simbolicamente, o que a campanha nos diz? Esse é apenas um exemplo das muitas vezes em que a publicidade determinou e exprimiu qual era o padrão estético e a melhor identidade que se poderia ter. Aqui se afirma que o melhor padrão é ser branco, heterossexual e, se possível, magro e rico, desconsiderando uma grande parcela de consumidores e propagando valores que eu realmente questiono.

Não quero fazer patrulha nem fiscalização do politicamente correto, mas trazer uma reflexão sobre como nós, um país extremamente diverso, ainda somos tão atrasados em nossa percepção sobre nós mesmos. Somos muito mais do que isso, e esse é o nosso grande valor. O professor Carlos Augusto de Miranda e Martins, na entrevista que deu para o *Espelho*, me falou que podemos encontrar na publicidade algo muito próximo do que ocorre nas outras mídias — os estereótipos clássicos que, segundo ele, são basicamente cinco: o trabalhador braçal, o artista, o atleta, o carente social e a mulata do Carnaval. Esses estereótipos teriam nascido no século XIX, a partir de 1850. Antes disso, o negro não era nem tema no Brasil. A escravidão mantinha de forma clara o papel de cada um na sociedade. Foi quando a escravidão começou a dar sinais de que iria terminar que o negro passou a ser uma preocupação. Talvez reflexo dessa história que começou lá atrás, e tal e qual as novelas, o índice de negros na publicidade é muito pequeno. Se nós fôssemos refletir a realidade, como a população negra representa aproximadamente 54% da população total, na publicidade deveríamos ter então pelo menos 50% de negros. Eles não chegam a 15%. Isso Carlos Augusto me falou em 2011, e não acho que hoje esse índice tenha chegado perto dos 50%.

Muniz Sodré complementa muito bem esse quadro ao dizer que o negro passou a ser inserido na publicidade por uma questão de reconhecimento mercadológico, e não pelo reconhecimento do estatuto de cidadania e igualdade. Ele está baseado no politicamente correto, "Vamos colocar um negro no comercial para que o público negro acabe se identificando ou não nos critique". A imagem do negro ainda está muito ligada à pobreza. Então, em parte, há uma certa resistência do ponto de vista mercadológico a colocar negros em propagandas. E outra coisa é que a publicidade, do ponto de vista cultural, reflete as relações hierárquicas presentes na sociedade. Enquanto o negro for excluído e discriminado em todos os setores, não será maioria nos comerciais da TV, outdoors e anúncios de revistas e jornais. A publicidade não virá como elemento de vanguarda que vai mudar a imagem do negro perante a mídia. Ela vai mudar à medida que a sociedade for mudando sua resistência em relação ao negro.

Encontrei um vídeo na internet, que circula desde o dia 13 de abril de 2008 graças ao advento do YouTube, chamado "Wish a Doll (Black Doll White Doll Experiment)". O vídeo foi um teste realizado pelos americanos Kenneth e Mamie Clark em 1939. Quando assisti, fiquei paralisado por alguns segundos, sem saber o que fazer. Como um vídeo feito em outro país pode falar tanto sobre nós?

São colocadas duas bonecas, uma negra e uma branca, sobre uma mesa. Um entrevistador, diante de várias crianças de origens distintas, começa a fazer as mesmas perguntas a todas elas, individualmente. São perguntas simples, mas as respostas me provocaram um aperto na garganta e no coração. Primeiro ele pergunta: "Qual boneca é a boneca negra e qual é a branca?". Em seguida: "Qual boneca é a mais bonita?", "Qual boneca é a mais legal?", "Qual boneca é má?". E vocês já devem imaginar o que acontece... As crianças invariavelmente respondem que a bonita e legal é a boneca branca, e a do mal é a negra. E logo depois ele pergunta: "Qual boneca parece com você?". E as crianças negras sabem que a boneca negra se parece com elas. Então ele questiona: "Mas por que você respondeu que a boneca negra é a má?". E a criança negra responde: "Porque a branca é mais legal". E ele pergunta: "Qual é a boneca feia?". E a criança responde: "A feia é essa aqui, a boneca negra".

E aí?

Exemplo similar ao desse vídeo e que está no nosso cotidiano — e há vários estudos e relatos sobre isso — tem a ver com a representação do "ser negro" na imprensa. No espaço de duas semanas, duas manchetes que devem ter passado despercebidas me revelaram muito sobre a naturalização do lugar do negro. A primeira dizia algo como, "Traficante preso com trinta quilos de cocaína"; a segunda, "Estudante preso com trinta quilos de cocaína". Ambos tinham idades bem próximas. Um era negro, o outro era branco. Adivinha quem foi chamado de traficante e quem teve o benefício do título de estudante?

Vivo com esses fantasmas dentro de mim e isso me faz pensar todo o tempo em como combater algo que está tão entranhado em nós.

No início da minha carreira, quando eu já tinha alguma projeção profissional, fui convidado a fazer minha primeira capa de revista. Pensei sinceramente que estava sendo chamado pelo meu talento, pelos prêmios que recebi ou quem sabe a minha recém--conquistada beleza (com a ajuda de uma nova dermatologista e um dentista-celebridade da Zona Sul carioca) não estaria me habilitando para a capa? Mas não foi bem assim.

Depois dessa capa, cheguei até a escrever um artigo, na verdade uma carta, para enviar à revista, coisa que nunca fiz, até hoje não sei muito bem por quê. Aproveito a oportunidade para compartilhá-la com vocês.

A carta é assim:

Ator negro. Ator. Ou monologando.

A cada dia que passa me convenço de que a questão da cor de pele no Brasil é mais complexa do que eu, mesmo sendo negro, penso. Fui convidado para ser capa da *TPM* por conta do filme *Cidade Baixa.** Vibrei!

Lázaro — Que bom, meu trabalho está indo na direção certa. Até capa de revista tá rolando, vai ser uma divulgação ótima para o Cidade Baixa.

Eu — Por um momento, eu, que tenho tido a felicidade de ver meu trabalho trilhando uma curva ascendente, achei um fato normal na carreira de um ator que vem se destacando ser capa de revista. É claro que sei que nós, negros, temos muitas dificuldades e enfrentamos alguns tabus, mas ao iniciar a entrevista tive a comprovação de uma coisa que eu até então só intuía: algumas revistas acham que ter um negro na capa não vende.

Lázaro — Que falta de visão.

Eu — É preconceito.

Lázaro — Que bom que, junto com a revista, ajudarei a quebrar esse tabu.

Eu — Para um ator negro, não basta fazer bem o seu trabalho. Ainda temos que lutar contra várias coisas. Tenho que brigar para conseguir mais e mais personagens que estejam fora da rubrica "personagem para ator negro" que os autores geralmente fazem.

---

* Lázaro viveu o protagonista Deco em *Cidade Baixa* (2006), de Sérgio Machado.

Lázaro — Mas temos várias histórias boas em que os personagens são necessariamente negros.

Eu — Temos que diversificar a dramaturgia.

Lázaro — Tenho que, na entrevista com essa moça, falar que o fato de meu trabalho estar dando certo é uma prova de que o público quer se ver na tela. Vou falar da audiência do Fantástico, dos prêmios que já ganhei e da importância em dar oportunidades iguais para todos.

Eu — Ai, meu Deus, lá vou eu ser tratado de novo como ator negro e não como ator.

A entrevista foi um almoço gostoso e agradável com uma jornalista igualmente agradável. Rodamos um pouco (uma hora, treze minutos e dezenove segundos) até chegarmos ao local da foto, que teve que ser trocado porque chovia, e, olha que boa coincidência, o novo lugar era um estúdio ao lado da minha casa. Chegando lá, a jornalista me disse que a revista queria me colocar na capa segurando um cartaz...

É cada ideia que esse povo tem. Eles queriam que a mensagem no cartaz fosse algo relacionado ao consumo, e a sugestão deles era: Não vai comprar porque ele é negro?

Polêmica à vista. Para quem não sabe, prezo a discrição e nunca gostei de me envolver em polêmica. Falei então para a jornalista que não achava legal ser essa a frase na placa e fiquei de pensar numa outra com que eu me sentisse mais à vontade.

Foto para cá, foto para lá, o fotógrafo super-habilidoso (Calé), as roupas muito bonitas (Ana Hora), a maquiagem uma loucura (Lavoisier), eles conseguiram, depois de muita negociação, me deixar menos constrangido para fazer fotos — segundo eles — sensuais.

Enfim, chegamos a uma conclusão sobre a frase. "Compro e vendo" seria a manchete. Um bom símbolo de que nós, negros, temos voz como consumidores e também queríamos nos ver na mídia anunciando produtos.

Fiquei feliz, fui pra casa e esperei um mês até ver a revista nas bancas.

13 de outubro de 2005. Olha lá a *TPM*!

NÃO VAI COMPRAR PORQUE ELE É NEGRO? BONITO, 14 FILMES, ATOR DA GLOBO. NUNCA FOI CHAMADO PARA UMA GRANDE CAMPANHA PUBLICITÁRIA. POR QUE SERÁ?

E assim minha cabeça novamente começou a dialogar comigo mesmo:

Lázaro — Eles mudaram a frase!

Eu — Meu Deus, vão falar que sou privilegiado e estou me queixando de barriga cheia!

Lázaro — Essa foto não foi a melhor.

Abro a revista.

Eu — Ah, não, ela falou que minha boca é carnuda.

Lázaro — É... a matéria tá simpática, apesar de terem editado as respostas.

Eu — Preciso ser mais objetivo e sucinto na próxima vez, porque às vezes uma palavra muda todo o raciocínio.

Lázaro — É... a matéria tá boa, fui mais elogiado do que em festa de família.

Eu — Tomara que o leitor entenda meu raciocínio.

Lázaro — Tô gato nas fotos.

Fecho a revista.

Eu — Droga, essa não foi a capa que acertamos.

Lázaro — Eles não têm esse direito! Ou têm?

Eu — Fui tratado como uma exceção, como um ator negro. A minha pele foi mais enfocada do que meu trabalho.

Telefonei para a assessora do filme, que era a Anna Luiza Müller, e disse: "Poxa, Ana, não quero mais fazer matéria cujo assunto não seja estritamente o filme. Não falo mais sobre outros assuntos". Ela ligou para a revista e disse que eu me chateei. Recebi um e-mail muito lúcido da jornalista, meio aborrecida. Mandei um de volta, explicando. Chegando em casa, continuei a pensar nas vantagens e nas desvantagens da edição.

De repente, olhando a estante, me deparei com um texto escrito por Márcio Meirelles, diretor do meu amado Bando de Teatro Olodum, feito para comentar um prêmio que recebi:

Lázaro, um negro ator

Lázaro Ramos é um ator negro. Quando digo isso, levo em conta o fato de que nunca se diz de um branco que é ator: Fulano é um ator branco. Levo em conta também o fato de que a adjetivação racial, para um ator negro, não é necessária. Poderia começar este texto em homenagem a Lazinho dizendo: Lázaro Ramos é um dos atores mais especiais que conheço. Mas ele o é por ser inteiramente o que é. E sei que não posso imaginar maior homenagem ou elogio a ele do que reafirmar o que ele afirma a cada gesto, olhar, som, pensamento, escolha, atitude de sua carreira.

Portanto:

Lázaro Ramos é um ator negro!

Com isso digo que o ofício de ator, em sua plenitude, é exercido por ele.

O ator é aquele que dá seu testemunho de mundo no palco, na tela, em cada personagem que aceita fazer, em cada depoimento público na arena da mídia. Lázaro é um que não se furta a dar este testemunho, generosamente. E, neste mundo, neste Brasil que exerce tão cruelmente sua democracia racial, gerando mula(to)s e relegando o negro ao papel de figurante em sua história, um negro, quando se faz ator, só o fará bem se fizer ator negro. É um estigma? Sim. É uma marca. O negro é estigmatizado aqui e não há como negar. Há então que assumir-se diferente e, com esta diferença, marcar a história deste país. Mudar em negras as brancas nuvens e fazer chover, fertilizar. Assumir-se coautor da cultura brasileira. Exercer seu papel de protagonista neste enredo. Pintar de preto a face deste país pardo, auriverde, cor de anil. Pintar também de preto o Brasil.

O ofício do ator é este: deixar sua marca no mundo, para que o mundo se torne diferente do que tem sido. É isso que Lázaro Ramos, o ator negro, tem feito. E, depois de Lázaro, sem dúvida, o Brasil está um pouco melhor.

Meu coração se acalma.

Concordo humildemente. Concordo também que a capa está a serviço de uma coisa muito importante.

Durmo e acordo às sete da manhã. Escrevo estas palavras.

Agora me despeço com a esperança de que venham outras revistas com negros na capa, não só a TPM. Atores negros. Negros atores. Negros negros. Atores atores. Não sei. Cada um escolhe o seu. (Felizmente temos o direito de escolher.) Só sei que precisamos estar nas capas, sim. Mais e mais a cada dia.

Toda essa reflexão que fiz em 2005 retornou várias vezes no meu dia a dia. No fundo, ela pode ser resumida numa frase: "Mesmo quando tentamos esquecer que somos negros, alguém nos lembra".

Com o tempo vieram outras capas, com outros títulos. O que mudou, o leitor ou as revistas? Uma mudança que posso apontar é o consumidor de cultura que quer usar como arma a valorização dos produtos que o retratam ou valorizam nos seus anúncios e formatos. Em 2015 e 2016, eu e Taís fizemos várias capas. Capitaneado pelo sucesso do programa de tevê *Mister Brau* e pela peça *O topo da montanha*,* que dirijo e na qual atuo, o mercado encontrou em nós rostos que representavam esse negro brasileiro que decidiu usar como arma a afirmação de sua cor.

Uma semente que quero observar, quero ver se ela vai passar do entretenimento para os outros setores da sociedade, como por exemplo a política. E, se algo a partir disso vier, será uma vitória.

* O seriado *Mister Brau*, protagonizado por Lázaro Ramos e Taís Araújo, estreou na TV Globo em 2015, mesmo ano de estreia da peça *O topo da montanha*, também protagonizada pelo casal, uma adaptação do texto de Katori Hall que alude ao último discurso de Martin Luther King.

Escolhas

Queria tanto poder saber qual é a sua profissão para a partir daqui refletirmos juntos sobre trabalho e valores pessoais. Até onde vamos pela ascensão profissional? Como posso modificar algo que considero relevante no meu trabalho sem ficar de fora, apenas apontando os defeitos? Ou seja, como me fazer ouvir estando dentro de um esquema de coisas que não acho necessariamente que me representa? Como ser bem-sucedido profissionalmente sem ser violentado pelas demandas do trabalho?

Emicida me disse no *Espelho*, em 2016, que, quando um negro chega a uma posição em que não é a regra ter outras pessoas negras, ele tem que se adequar a um determinado comportamento para continuar ali. Talvez o perverso preço de ocupar certos lugares seja não poder mencionar o quanto esse lugar é difícil de alcançar para pessoas que são iguais a você.

Não sei você, mas eu sempre penso nisso. Da minha carreira acho que é fácil descobrir alguns dados, não é? Basta acessar um site de busca e digitar meu nome. Isso se você não estiver no ano de 2047 e eu já tiver caído no esquecimento ou talvez tenham sido os sites de busca que caíram em desuso depois da humanidade ter decidido abrir mão de lembrar. A memória aí no seu tempo pode ter virado uma cafonice e a última moda é viver num agora eterno.

Então vou considerar que você não sabe nada sobre mim e farei um resumo de como estou hoje.

Meu primeiro nome artístico foi Lula Somar. Lu de Luís, La de Lázaro, e Somar é Ramos ao contrário. De uma maneira meio cafona, reflete o desejo que eu tinha de me destacar e ser diferente. E também de não ter um nome ligado a cor. Meirelles, o diretor do Bando, riu muito da minha cara e sugeriu tirar do meu nome completo — Luis Lázaro Sacramento Ramos — apenas Lázaro Ramos, um nome que eu não escolhi, mas que hoje faz todo sentido.

Tudo bem, a próxima parte é um autoelogio, apesar de eu sempre ter ouvido de Milton Gonçalves o provérbio "Elogio em boca própria é vitupério". Falo aqui sobre parte do meu currículo para efeito de comparação. Prometo ser breve. Tenho vinte e oito anos de carreira. Comecei aos dez anos e com vinte e três já tinha mais de trinta prêmios, nacionais e internacionais. Sou o ator negro com mais protagonistas da história da TV brasileira; juntando televisão, cinema e teatro, já são mais de quarenta. Tenho recebido carinho do público, alguns elogios da crítica e tenho trabalhado, constantemente, em teatro, TV e cinema. Sou conhecido pelos meus trabalhos no cinema e na televisão e tenho uma carreira bem-sucedida em alguns outros países, pois já recebi homenagens em mostras em Moçambique, em Lima, no Peru, e em Toulouse, na França. Até ao Emmy internacional já concorri. Pronto, terminou. Agora a reflexão.

Talvez, se eu tivesse feito de outra maneira, esses números pudessem ser um pouco maiores. Talvez não, nunca saberei. O fato é que, desde que me entendo por gente, lá nos idos de 1990, na Bahia, nem sempre obedeci a uma lógica tradicional. Fiz escolhas que muitas vezes pareciam estúpidas ou equivocadas, mas que me fizeram trilhar um caminho autoral. Minha lógica sempre foi a de ser o dono da minha história.

Hoje compreendo que buscava ter minha voz escutada, ter uma carreira com papéis diversificados. Isso eu aprendi no Bando de Teatro Olodum, um lugar que nunca me impôs limites. Lá fui Sancho Pança, Mac Navalha e Zumbi dos Palmares. Onde mais eu poderia ter vivido esses personagens no mercado cultural brasileiro da década de 1990 e primeira década dos anos 2000? Se não fosse o Bando e eu quisesse fazer um clássico, teria que ser o chato do Otelo. Sacanagem, hein, Shakespeare? Na sua única peça com negão, o vilão Iago é muito melhor. Voltando... Esse nosso país é tão diverso, mas não espelha essa diversidade nos palcos, nas ruas e nos postos de comando. Por esse início no Bando, acreditei que era possível ser o que eu sonhasse e me empenhasse em ser. Claro que durante toda a minha trajetória algumas coisas me lembravam que, ao lado do meu talento reconhecido, do esforço e do trabalho, há o fato de eu ser negro. E por isso existem, sim, alguns limites que tentaram me impor. Esperei por anos o convite para fazer Otelo. Sabia que ele viria e, de fato, fui chamado duas vezes. Respondi que toparia se pudesse viver o Iago, mas o olhar viciado dos diretores não permitiu que eles aceitassem minha proposta.

O filme *A negação do Brasil*, de Joel Zito Araújo, que vi numa pequena sala de um cinema paulista no ano 2000, foi fundamental para a minha formação. Aquela compilação e análise tão precisa da história do negro na televisão me fizeram decidir que eu precisava ir além, dar outro passo a partir do caminho trilhado pelos meus predecessores.

Qual era esse passo eu não sabia exatamente, pois não conhecia os bastidores das grandes produções de TV e teatro. Decidi acreditar na minha intuição. Banquei escolhas de que muitas pessoas não sabem. Uma delas virou piada em rodas de amigos. Sempre que me provocavam dizendo "Quando é que você vai fazer uma novela de época?", eu dizia "Não quero, porque pelo modelo das novelas de época daqui eu vou ser escravo". Eu não estava (e ainda não estou) a fim de usar calça de algodão cru e ser chicoteado para depois ser salvo por uma mulher branca – a heroína salvadora, que em suas anáguas guarda o heroísmo de um X-Men mesmo sem ser mutante e deixa claro que a branquitude é o padrão a ser seguido. Eu não queria responder no fim das cenas: "Obrigado, sinhazinha".

Ou seja, remakes de *A Escrava Isaura* (2004) e *Sinhá Moça* (2006) não estavam em meus planos. Sonhava em ver a história negra contada de outra maneira e nunca vislumbrei essa possibilidade na televisão, por isso sempre brinquei taxativamente: "De época, jamais!". Calado, chicoteado, nem em fantasia erótica. Piada? De fato, esse é um recurso muito usado em fugas ou como defesa. Ou será ação política? Talvez seja apenas o desejo de encontrar uma nova escrita para nossa dramaturgia. Mas não podemos esquecer o trabalho de atores dessas novelas que foram e são marcantes pela qualidade interpretativa. Tiro o chapéu para mestres como Ruth de Souza, Léa Garcia, Milton Gonçalves e tantos outros que marcaram uma geração de atores e que são e serão referência por muito tempo. Entendo que a luta de uma Ruth de Souza, a rainha Ruth de Souza, por exemplo, tem a ver com um momento diferente do meu. Quando conversei com ela no *Espelho* sobre a experiência inovadora do Teatro Experimental do Negro, ela me disse que sua intenção era provar que o negro podia ser ator. Quando precisavam de um ator negro, pintavam um branco e os personagens quase sempre eram Pai João, Mãe Maria e mulher de recado. Quando Abdias do Nascimento fundou o Teatro Negro, caíram de pau nele, dizendo "Como você vai querer ter êxito com um teatro com esse nome?".

De toda maneira, eu torcia por uma dramaturgia que desse suporte aos atores. Resolver cenas com a presença e a memória corporal e emotiva é um patrimônio, que pode ser potencializado se a caneta busca outro ponto de vista. Encontrei isso muitos anos depois fazendo a novela *Lado a Lado* (2012), de João Ximenes Braga e Claudia Lage; para mim, um marco no que diz respeito a um novo olhar sobre a história negra no Brasil. Pela primeira vez eu fiz um personagem de época num período próximo ao da escravidão, mas em outro contexto. Eu nunca acreditei que essa novela sairia, mas João e Claudia foram hábeis, corajosos e visionários. Contaram uma história de amor belíssima e com heróis negros de verdade, com suas vozes ouvidas em suas lutas, defeitos, dores e alegrias. Para mim, essa novela mostra como queremos ser vistos na teledramaturgia. Não estou falando apenas do que é politicamente correto, falo da complexidade das relações, da complexidade de quem nós somos.

Há uma coisa que talvez só Taís, Tania Rocha (minha empresária) e alguns poucos amigos saibam. Recusei muitos trabalhos em que teria que usar arma de fogo. Recusei porque a imagem que ficaria era a de um negro com uma arma na mão... e isso num contexto de normalidade. Essa cena me apavorava. Notem que, na retomada do cinema nacional, a violência urbana foi um tema muito tratado. Escolho falar do cinema porque foi onde primeiro me inseri e onde se viram muito negros com armas em situação de normalidade ou embrutecimento.

Fazendo um breve parêntese: é tão "natural" as pessoas associarem negros com armas que me param na rua — e isso não aconteceu só uma vez, não, mas muitas — para elogiar minha atuação em *Cidade de Deus* (2002). Recebo o "cumprimento" sempre calado, infelizmente solitário na percepção do significado daquele engano. Certa vez, no avião, fui abordado por uma passageira que passou longos minutos elogiando meu trabalho, meu talento, se dizia impressionada com a naturalidade que eu tinha para ir da docilidade à agressividade tão rapidamente, que eu fazia tudo com muita verdade. Agradeci, tirei meu cochilo e só voltei a falar com ela a caminho do desembarque. Na escada rolante nos despedimos como velhos amigos e foi quando ela soltou, com uma piscadela: "Tchau, Zé Pequeno!". E viva Leandro Firmino!

Voltando ao que eu dizia. Silenciosamente, decidi que, se tivesse que empunhar uma arma, meu personagem nunca deveria fazê-lo "confortavelmente". Na cena em que eu seguro uma arma no *Madame Satã*, está claro que aquele não é o "lugar" dela. O personagem pertence ao palco, ele representa a liberdade, a arma está ali como um equívoco.

Em *O homem que copiava* (2003) foi a mesma coisa. O personagem se atrapalha e torcemos para que ele largue logo aquele objeto que o tira da sua trajetória. Mesmo sem ser perfeito, esperamos que ele encontre sua vitória de outra maneira. Conversei muito com o Jorge Furtado, e no *Meu tio matou um cara* (2004) ele voluntariamente retirou a cena em que eu seguraria uma arma. Jorge compreendeu que esta é uma imagem muito repetida, a do negro com uma arma na mão, ocupando o lugar da marginalidade — e aí está meu incômodo maior —, sem qualquer protagonismo, como se o negro fosse um acessório de cena para contar a história de outro personagem. Não falo de protagonismo no tamanho, mas na oportunidade de ter a sua história mais aprofundada.

São apenas simbolismos e nada mais? Seria isso um excesso de zelo da minha parte?

Esse excesso de zelo fez com que eu recusasse convites para alguns filmes bem importantes. Esse não foi o único motivo, na verdade, mas o fato é que eu não me sentia pronto para estar naquele lugar. Achava que me tornaria um ator estereotipado e acreditava que tinha de pagar o preço para não passar por isso. Depois de ter minha carreira estabelecida, até escolhi fazer um ou outro trabalho que envolvia cena com arma, mas sempre estando num contexto ou de protagonismo, ou de inadequação em relação a esta arma, ou para discutir a violência e suas consequências.

Faço um esforço para contar das decisões que me levaram a não fazer algo. Os "sim" que dei podem ser mais facilmente compreendidos, mas falar das motivações dos "não" talvez traga alguma reflexão sobre como o personagem negro tem sido tratado pela dramaturgia brasileira.

Outro "não" que dei foi relacionado ao já tão citado aqui programa *Espelho*. Depois de alguns anos de programa, depois de a gente já ter um público consolidado, fiz um acordo com o Canal Brasil para buscar patrocínio. Bati em várias portas, mas não consegui acesso a nenhuma empresa. A única que me atendeu, depois de uma breve conversa, me enviou para o setor social. Era uma empresa automobilística que queria que a verba — uns 70 mil reais, na época — saísse do setor de responsabilidade social. Recusei. Ver o *Espelho* sendo enquadrado na rubrica "demanda social" da empresa me pareceu estranho. Não considero que o programa apenas represente uma demanda social, e eu queria que compreendessem isso. Claro que o *Espelho* apresenta uma reflexão sobre temas com que outros programas não estão acostumados ou que não consideram relevantes, mas isso é mais complexo que apenas "demanda social": é entretenimento de massas, é informação, é notícia, é linguagem. O lugar que eu quero que o *Espelho* ocupe é também o lugar em que eu quero estar.

As decisões foram difíceis e muitas vezes questionadas pelos meus parceiros de trabalho, que, apesar de discordarem, compraram a briga comigo, pois juntos pensamos em criar novos códigos. Não compactuar com um estereótipo que diz qual é o lugar de pertencimento do outro e agir de acordo com sua visão não é muito eficiente, a princípio. Somos acostumados a arrumar tudo em caixas, isso conforta, traz argumentos mais fáceis e, principalmente, não bagunça a dita ordem natural das coisas. Estamos falando aqui de anseio artístico, de abertura de mercado, de construção de valores culturais e também de preconceito. Compreender o que fazia sentido para mim foi libertador, pois é assim que buscamos o nosso caminho.

Muitas vezes o racismo faz com que a gente não trilhe nosso caminho e comece a pautar nossas ações pela demanda do preconceito. Às vezes não seguimos adiante porque paramos nos limites impostos pela sociedade, e nós temos que caminhar mais, temos que entender a complexidade das coisas, das pessoas, temos que ter liberdade. Até onde isso é uma ação ou uma resposta ao preconceito? Estou buscando a liberdade ou respondendo aos limites que o racismo me impõe? Quero crer que escolhi uma maneira de não viver pela demanda do racismo. Ao não aceitar caixas que seriam mais facilmente adaptáveis, busco a libertação.

Esse mesmo eco aparece numa nova militância, que passa pela liberdade estética assim como por pautas que entraram na academia recentemente. Liberdade nas escolhas, essa é a meta. Mas até onde é possível cumpri-la? A busca por uma trajetória autoral, em alguns momentos, é quase impossível. Convencer parceiros disso foi, algumas vezes, uma barreira. Passei por isso quando mostrei *Ó paí, ó* para algumas pessoas e elas consideraram aquele argumento algo menor.

Esse caso começou bem antes. Em 2000, ao chegar ao Rio de Janeiro, fui até o morro do Vidigal ver o Nós do Morro, sem conhecer ninguém e procurando criar uma rede de relações, encontrar um grupo de teatro com um trabalho que lembrasse o Bando. Levava comigo uma cópia da Trilogia do Pelô, que continha as três primeiras peças do Bando, entre elas *Ó, paí, ó*. Me postei à porta da sede deles e por trinta minutos esperei. Esperava não sei o quê. Fiquei vendo as pessoas entrando e saindo sem dizer nada, até timidamente me retirar.

Caminhei até Ipanema e entreguei o livro, com uma dedicatória, na produtora de um cineasta famoso. No caminho para casa, fiquei matutando e percebi que aquela obra do Bando, originalmente realizada para o teatro, tinha um grande potencial para o audiovisual. Havia ali algo que ainda não tinha sido feito no nosso cinema. Apresentei a ideia a um roteirista e diretor de televisão, que, após algum tempo, me disse que aquilo não era dramaturgia — eram apenas alguns tipos baianos populares desfilando caricaturas e que nunca daria em nada. Acreditei nele e desisti.

Em 2006, retomei a ideia e inscrevi a peça em um projeto para transformá-la em filme. Fui selecionado para uma bolsa de um instituto londrino para ir até a Inglaterra preparar o roteiro com a assessoria de roteiristas do mundo todo. Na mesma época, Monique Gardenberg, que já era apaixonada pela peça, disse que queria filmá-la, e eu acabei abrindo mão da bolsa e cedendo os direitos para ela.

Em 2007, ao verem o resultado de *Ó paí, ó* nas telas dos cinemas, as mesmas pessoas que disseram que aquilo não era dramaturgia fizeram mil elogios, entre eles que o texto trazia algo novo. Novo? Mas se eles já tinham visto o projeto anos antes! Reparem que precisei ascender profissionalmente para ter o reconhecimento que poderia, naquela época, ter me levado mais facilmente a esse processo de ascensão.

A autoria na maneira de construir personagens também é algo que me inquieta. Já me peguei pensando não em criar um personagem com suas incoerências, qualidades e defeitos, mas em como faria aquele personagem ser alguém "gostável". Mesmo porque percebi que os personagens de grande sucesso na televisão brasileira — não estou falando dos de sucesso momentâneo, não, os de grande sucesso mesmo — feitos por atores negros estavam inseridos no campo da comédia ou encarnavam sofredores. Personagens negros com autoestima e alto poder aquisitivo tinham dificuldade de ser aceitos. Uma incoerência? Talvez, mas no meu momento de criação as minhas escolhas passam por aí e calculo o preço que posso pagar se seguir outro caminho.

Foguinho, meu personagem na novela *Cobras & Lagartos* (2006), foi uma história de sucesso: com ele ganhei uma legião de fãs, inclusive crianças, e recebi inúmeros convites para fazer publicidade. Mas prefiro falar de *Insensato Coração*, de 2011, uma novela de Gilberto Braga em que, segundo a imprensa, eu fazia o primeiro galã negro da televisão brasileira. Criar um personagem arrogante e desapegado teve um preço, que paguei recebendo ofensas pela internet ou tendo que lidar com a suspeita da minha qualidade como intérprete. O título de galã negro foi algo que nunca aceitei, porque eu via o André Gurgel, meu personagem, como algo mais complexo, tão complexo que, acho, nem eu nem o público brasileiro estávamos prontos para assimilá-lo.

Até então, minha formação artística me dizia que eu poderia me jogar em qualquer abismo que sempre haveria uma solução. Meus intensos anos de experiência como ator tinham me mostrado que eu poderia criar livremente qualquer personagem, adotando uma estratégia ou outra, mas sem sobressaltos. Eu estava inebriado com a nova história que estava sendo construída, uma história de livre criação e de otimismo para os até então excluídos.

Quando recebi o convite, Gilberto me disse: "Estou reescrevendo este personagem, pois ele tem tudo para dar errado.

É muito parecido com o personagem que Antônio Fagundes fez em *O Dono do Mundo* (1991-2). Mas quero investir nele e aposto muito em você". Com o sentimento de que teria em Gilberto um parceiro, fui para casa estudar os capítulos. André Gurgel era descrito como um homem muito rico, bem-sucedido profissionalmente, arrogante e que tratava as mulheres com certa frieza. Seria o tipo que elas assediariam às nove horas da manhã durante uma descompromissada caminhada na lagoa Rodrigo de Freitas. Diriam de cara "Eu quero dar pra você" e ele teria então uma maravilhosa noite — ou melhor, manhã — de amor com cada uma delas e depois as mandaria embora num táxi. Esses são elementos dificílimos para um ator defender, por comporem um comportamento complicado para o público assimilar.

Além disso, há outro detalhe. Eu tinha acabado de sair de alguns personagens cômicos ou populares (no sentido de "vindos do povo") e de prestígio no cinema, e ousava ir para a televisão em horário nobre, na principal novela, fazendo um personagem que era desejado sexualmente por mulheres muito bonitas.

Eu não percebi que isso poderia ser polêmico e obedeci rigorosamente a todas as rubricas do Gilberto. Em uma semana e meia gravei dezoito capítulos. Nas falas que pediam arrogância, eu era arrogante; nas falas que pediam cinismo, cínico eu era. Acho que foi a primeira vez que não montei nenhuma estratégia para criar carisma para um personagem, pois contava com a virada que ele teria ao longo da novela.

Abri mão do meu processo autoral como ator para aceitar o presente que Gilberto me deu e ver no que daria. Não sabia que seria tão forte a reação. Além de ser chamado de canastrão, fui atacado ferozmente nas redes sociais. Muita gente me chamou de feio, de macaco, de inadequado para o papel.

Claro que é mais complexo do que isso, porque estava colocado ali o desejo sexual das mulheres. Eu, felizmente, sei por experiência própria que o desejo na vida real não se enquadra no padrão do galã de traços quase femininos, olhar chorão, cabelo liso penteado para o lado. O fato é que essa cara com rosto negroide, boca e olhos grandes, nariz largo sofreu uma rejeição.

Como ator, eu falhei? Como autor, Gilberto ousou mais do que o público estava pronto para receber? O que quero analisar aqui é o contexto de algumas das críticas que recebi. A grande maioria falava que aquele não era o meu lugar: o de homem desejável. As pessoas tentavam me enquadrar, ou melhor, enquadrar esse rosto negroide e esse ator que, até então, conquistara uma trajetória de aceitação na comédia ou com tipos populares. Diziam sempre "Você tá querendo demais, menino, retorne para aquele outro lugar em que nós aceitamos você".

Durante a novela, Gilberto e Ricardo Linhares mantiveram a trama tal qual tinham planejado. A revista *Época* até fez uma capa falando do personagem, na manchete dizia "O primeiro galã negro".* Durante o processo, amadureci minha maneira de vivê--lo. A parceria com Camila Pitanga foi muito importante, o olhar dela me dava a dimensão do amor e do carinho, mesmo torto, que nossos dois personagens poderiam ter entre si. Ultrapassei a análise racial e percebi que André Gurgel era um homem sem família e com extrema dificuldade de se apegar. E assim passei por esse anti-herói com um pouco de dor, belas parcerias e muito aprendizado. Depois dele decidi dialogar com quem criava um modelo diferente desse com o qual eu estava acostumado, assistir

---

* Martha Mendonça, Bruno Segadilha e André Arruda (foto). "O primeiro galã negro: O que o papel de Lázaro Ramos como um playboy rico e sedutor revela sobre as mudanças sociais que estão ocorrendo no Brasil", *Época*, 18 fev. 2011.

a tudo aquilo que a princípio não teria a ver com meu gosto, me comunicar com novos e velhos autores, entender os processos de produção e de narrativa, estudar o mercado, os artistas e aquilo que me impulsiona ou não.

Conversando com Taís, ela uma vez me perguntou: "Como é que você consegue ficar pensando nisso tudo? Será que esse não é um fantasma que seria melhor ignorar?". Certamente, mas como sou prisioneiro de mim, tenho prazer em observar essas sutilezas do processo identitário cultural e organizacional do meu país. Qualquer pessoa é capaz de viver com esse fantasma? Até quando vou conseguir seguir dessa maneira? Me responda, você do futuro. O que aconteceu depois que esta história foi escrita?

Empoderamento e afeto

Apesar de já ser usada pelos movimentos feministas e, posteriormente, pelos meios de militância negra, essa palavra, "empoderamento", começou a se disseminar por toda a sociedade a partir dos anos 2010. Hoje em dia é dita com fluidez na internet, nos programas de auditório e até por quem não é militante ou nem entende bem seu significado. Escutei-a pela primeira vez da boca de uma prima minha, Rosania Sacramento.

Rosania é professora, educadora, assim como a maioria de suas irmãs, todas filhas da minha tia Alzira. Fizemos juntos um projeto de estímulo à leitura chamado Ler É Poder. Eu queria fazer algum trabalho comunitário, mas nada ligado ao teatro ou à música, pois naquela época, na Bahia, havia muitos projetos com esse viés e achei que a leitura poderia ser algo diferente. De uma maneira bem amadora, por meio de um programa de TV local, pedi que as pessoas me doassem livros. Os livros se acumularam na garagem do meu pai e num quarto da casa de tia Alzira. Minhas primas Rosania, Almiralice e Inaracy Sacramento organizaram os títulos. Começamos a abrir centros de leitura, quatro ao todo. Esses centros tinham livros, aparelhos de TV e DVDs para crianças e jovens. Tudo feito de forma voluntária.

Não nos tornarmos uma ONG, não era nada oficial. Certo dia, Rosania me chamou e disse que precisávamos criar um projeto para conseguir mais parceiros. "Vamos fazer um blog também?", ela disse. Achei tudo maravilhoso. Quando ela me mandou o texto do projeto eu notei uma palavra muito estranha: empoderar. Imediatamente corrigi para apoderar e ainda acrescentei a seguinte mensagem: "Zani (que é como eu a chamo), "apoderar" achei inadequado, pois estamos falando de educação e cultura. Vamos ver outros verbos melhores?". Mas Rosania já usava muito essa palavra no meio educacional, pois participou como professora e coordenadora pedagógica do surgimento do curso pré-vestibular voltado para a população negra de baixa renda no Instituto Cultural Beneficente Steve Biko. Ela me explicou qual o sentido de empoderamento.

Os dicionários definem "empoderar" como "conceder ou conseguir poder; obter mais poder; tornar-se ainda mais poderoso" (Dicionário Online de Português) ou "a ação coletiva desenvolvida pelos indivíduos quando participam de espaços privilegiados de decisões, de consciência social dos direitos sociais" ou "conscientização; criação; socialização do poder entre os cidadãos; conquista da condição e da capacidade de participação; inclusão social e exercício da cidadania" (Dicionário Informal).

O fato é que eu fui me empoderando por meio das pessoas que conheci sem nem conhecer a palavra que contempla tão bem aquilo que é necessário e deve ser louvado nas pessoas.

Os discursos sobre empoderamento aparecem de várias maneiras, muitas vezes vindo de uma juventude negra que entrou nas universidades e propaga o empoderamento por meio do visual, de discursos que viralizam nas redes sociais. Muitos diagnósticos da situação negra vêm sendo feitos por jovens que não têm mais medo de assumir a sua origem, os seus traços físicos e pensamentos. Às vezes me emociono ao visitar alguma página pessoal e ver um discurso como o de Luciene Nascimento, por exemplo.

Ouvi recentemente que sou geração tombamento: preta, pobre, consciente, que carrega esteticamente a cura para o próprio tormento. Meu tormento não nasceu comigo. Eu me lembro de senti-lo bem no colégio, dos meninos que me revelaram que amor-próprio era privilégio. O meu amor-próprio foi construído. Demorei, mas aprendi. E aos dezoito concluí: meu padrão não é daqui. E eu quis lançar aos quatro ventos, pendurar uma faixa amarela, quando vi uma pretinha triste, eu escrevi dizendo para ela que tudo nela é de se amar. Tudo. O modo como os músculos dos braços protuberam, a pele que contorna a carne do rosto iluminando, o cabelo que trava os dedos na hora de acarinhar, que é como se dissesse "se eu te permiti tocar tão profundo, então pode permanecer entre os meus fios". A forma como enfrenta a vida, tudo nela é de se amar. [...] E de palestra em palestra precisam ser lembrados que o racismo existe e aí ficam todos chocados porque o racismo é o crime perfeito que só a vítima vê. E quando se vê insatisfeito, e não guarda mais para si, vira ele o próprio suspeito acusado de mi-mi-mi. E a gente se sente meio otário por ter feito barulho. Retirar a negritude do armário ainda é visto como esbulho. E a gente ajunta o adversário porque vive com orgulho. O bagulho é louco e é necessário ser mais louco que o bagulho. Vem chegando dia 20, o dia da consciência em que radical é o militante cansado de ter paciência. Mas a gente tenta, porque na prática o método aperfeiçoa. A gente vem falar rimando para ver se não magoa. Mas se vocês ainda estão escutando, é porque a gente não fala à toa.*

---

* Transcrição de trecho do vídeo de Luciene Nascimento, disponível em: <www.facebook.com/olazaroramos/videos/1269928256425072/>. Acesso em: 31 jan. 2017.

As blogueiras negras têm mostrado que têm direito a um lugar no mundo e que sabem disso. Isso fortalece. O negro, nordestino, gay e cristão Murilo Araújo tem um vlog que me fez dar um sorriso e pensar "Oba, mais um", mostrando que o mundo não se encerra numa caixa — procure lá os vídeos do Muro Pequeno.*

A chamada geração tombamento é composta por jovens negras que usam a estética, a autoestima e a liberdade no dizer e no agir para se empoderar. Cabelos crespos ou cacheados passaram a ser símbolos de resistência, luta e identificação, por exemplo. Essa geração traz também na música frases de empoderamento e aceitação, como na canção "É o poder", da Karol Conka, que diz:

... Sociedade em choque, eu vim pra incomodar
Aqui o santo é forte, é melhor se acostumar
Quem foi que disse que isso aqui não era pra mim
Se equivocou
Fui eu quem criei, vivi, escolhi, me descobri
E agora aqui estou.

E dá-lhe Mc Soffia, de treze anos, que prega "Menina pretinha, exótica não é linda/ você não é bonitinha/ você é uma rainha". Liniker Barros, com toda a aceitação do seu ser feminino, canta o amor com voz grave e rouca em "Zero" ("E coube tudo na malinha de mão do meu coração"). E Rico Dalasam, na atitude, linguajar próprio, ritmo compassado e liberdade criativa, que versa em "Procure": "Navalha que falha, malha, o cabelerê/ Vim pagar sua

---

* Disponível em: <www.youtube.com/channel/UCnQvEAzKAnc5lz0h6qwPL-w>. Acesso em: 27 dez. 2016.

covardia, por um bom trabalho/ O vale-otário tem valia, até um horário/ Procure o que é sorrir assim no dicionário". E Tássia Reis, que chega dando seu recado em "Afrontamento":

Quer saber
O que me incomoda, sincero
É ver que pra nós a chance nunca sai do zero
Que, se eu me destacar, é pura sorte
Se eu fugir da pobreza não escapo da depressão, não
Num quadro triste, realista
Numa sociedade machista
As oportunidades são racistas
São dois pontos a menos pra mim
É difícil jogar
Quando as regras servem pra decretar o meu fim
Arrastam minha cara no asfalto
Abusam, humilham
Tiram a gente de louco
Me matam todo dia mais um pouco
[...]
À margem de tudo a gente marcha
Pra manter-se vivo
Respirando nessa caixa
Eu quero mais
Eu vou no desdobramento
Nem que pra isso eu tenha que formar um movimento
E agora é apertando o comando no empoderamento

O mar da contestação é sempre navegado pelo rap. Recentemente, uma ação conjunta da comunidade do rap me chamou a atenção e, acredito, é parte desse diálogo com o tombamento.

Um encontro musical entre seis rappers — Drik Barbosa, Amiri, Rico Dalasam, Muzzike, Raphão Alaafin e Emicida — diz:

Eles querem que alguém
Que vem de onde nóis vem
Seja mais humilde, baixa a cabeça
Nunca revide, finja que esqueceu a coisa toda
Eu quero é que eles se...!

"Mandume", que é o título dessa música, não surpreende apenas pela letra, mas também pelo pensamento de coletividade, pois JUNTOS (em maiúsculas mesmo) eles cantam sobre tudo aquilo que os aflige, colocando a poesia a serviço do empoderamento. A frase que aparece no início do clipe é: "Sobre crianças, quadris, pesadelos e lições de casa".

Todos esses cantores são apenas exemplos de um movimento que se inicia e que percebi dentro da minha própria casa, com minha esposa. Eu mesmo ouvi recentemente que sou da geração tombamento.

A questão racial sempre esteve presente na vida de Taís. Talvez por ter começado jovem na televisão e, consequentemente, se tornado cedo uma pessoa pública, ela encarou muitos comentários e atitudes ofensivos. Os pais de Taís, economista e pedagoga (atualmente aposentados), se preocuparam em oferecer uma estrutura financeira confortável e vigilância constante.

Tenho falado pouco de Taís porque, principalmente nesse assunto, ela tem uma voz que é só dela. Por respeito, e até mesmo por uma questão ética, eu não quis falar por ela. Neste livro, com relação a Taís, eu falo como um observador que acompanhou, com muito orgulho, seu processo de empoderamento. Claro que nessa caminhada nem tudo foram (e são) flores. Até porque somos um casal, e os descompassos são inevitáveis. Mas ela é um braço forte na minha vida — companheira nos momentos de desânimo e inspiração para novos passos. João Vicente e Maria Antônia, naturalmente, são um reflexo do que é se empoderar. Ao escolher sua diversão, as roupas que usam, as conversas que temos com eles, a forma como explicamos o mundo para eles, estamos contribuindo para seu empoderamento.

Sinto que a parceria que eu e Taís temos fez com que a gente se fortalecesse. Eu, como vim de um grupo de teatro como o Bando, com reflexões políticas e sociais nos espetáculos, e tinha uma situação financeira diferente da dela, trazia bem de perto a questão do racismo, tinha a possibilidade de falar e me posicionar sobre o assunto, de pensar em estratégias. Taís encontrou seu caminho de outro modo, e certamente o nascimento dos nossos filhos foi um impulsionador de seu processo de empoderamento. Após os ataques racistas que sofreu na internet, ela tomou uma atitude, a de denunciar os racistas virtuais, o que fiquei observando atento, num misto de preocupação e orgulho.

Essa Taís a cada dia mais empoderada me mostra outros caminhos e tem se tornado uma referência forte na luta contra o racismo. Tento interferir pouco, porque há em mim uma ânsia de protegê-la ou de eliminar os sofrimentos que podem vir no caminho, que pode ser cerceadora, e não quero isso. Mas o meu braço amigo está ali. Vejo ela chorar, sorrir. Às vezes discordo, acho que ela fala sem nenhum filtro ou freio e isso nem sempre traz boas consequências. Mas o que importa é que ela está se jogando e, eu vejo isso, se tornando um exemplo para uma nova geração de mulheres.

As redes sociais, a casa de muitas dessas novas vozes, têm nos oferecido bastante coisa boa. Há muita gente falando em valor da educação, em se capacitar, compartilhando suas dores e saberes. Vejo que estão disponíveis, acessíveis a qualquer um, diagnósticos belíssimos, que desvendam o racismo. Esses pontos de vista inovadores, que subvertem a antiga hierarquia do saber, me dão muita alegria.

Ao mesmo tempo, me sinto angustiado: o que fazer com tantos bons diagnósticos? Porque, no fim, há muito diagnóstico e pouco remédio. No dia a dia, na lida cotidiana, a solução passa invariavelmente por acesso a uma rede de relações e, em última instância, ao dinheiro. Sempre o dinheiro. Vejo, ouço e leio análises sobre jovens negros assassinados ou denúncias de preconceito, mas não sei como acessar plenamente a Justiça ou qualquer outra instância que possa de fato ajudar no combate a esse mal que tem dizimado a nossa juventude. Há um clamor imenso que reforça a necessidade de se aceitar a estética negra, mas eu fico sem saber como fazer com que mais e mais anunciantes pensem na população negra, e que mais negros tenham acesso a empregos e a postos de comando. Os diagnósticos estão ficando cada vez melhores, e eles já são em si um passo em direção a novos tempos, mas a solução ainda é algo a ser conquistado. É o que busco pessoalmente. E torço para que meus filhos encontrem suas próprias estratégias para se empoderar.

Vejo muitas pessoas admirando a família que formei com Taís e fazendo comparações com outros casais, como Jay Z e Beyoncé. Curiosamente, tem gente que nos trata como se fôssemos personagens de contos de fadas. Me divirto com a imagem que fazem de nós. Apesar de o nosso começo ter sido fabular (é essa mesmo a palavra), nossa rotina é bem comum. Aos dezoito anos, Taís já era conhecida por seu primeiro trabalho de destaque. Mas a novela de Walcyr Carrasco, *Xica da Silva* (1996/1997), protagonizada por ela, não passava na minha casa na Bahia, pois não tínhamos a TV Manchete. Claro que eu já tinha visto algumas entrevistas dela — e já achava que ela era inteligente e linda —, mas nunca tínhamos nos encontrado. Tempos depois, eu gravava um seriado chamado *Sexo Frágil* (2003/2004) e ela, a novela *Da Cor do Pecado* (2004). Um dia, eu estava sentado no camarim com um amigo de elenco e ela apareceu na TV. Sem nem saber por quê, eu disse: "Tá vendo essa moça aí? Vou casar com ela. E vai durar". Meu amigo riu. Mandei-lhe flores e ela retribuiu com outro buquê. Me assustei. Começamos a conversar, depois a namorar, e agora temos dois filhos e treze anos de casados.

Nosso casamento também foi responsável por várias transformações que vivi. Com Taís me tornei mais leve. Compreendi a importância de, sendo um artista, estar presente em plataformas de comunicação mais populares. É ela quem me mostra, diariamente, o que é ser mulher — e como é belo e complexo pensar na força que ela tem. Além disso, sua sede de conhecimento me motiva, o conhecimento formal e o sensorial que experimentamos a cada viagem filosófica ou física que fazemos. E coragem, coragem de ser a primeira pessoa a sofrer uma agressão racial na internet e ir até a delegacia prestar queixa e suportar todas as consequências desse ato, que vão desde as críticas daqueles que acharam um exagero até os que a acusaram de querer chamar a atenção para ganhar mais fama. Ela não parou. Continua, até hoje, estudando o assunto.

Já tive relacionamentos inter-raciais que foram muito bons enquanto duraram e não acho que devemos ser afrocentrados. Amor não tem cor. Mas admito que é um conforto poder conversar com minha esposa sobre as questões raciais e a criação de nossos filhos nesse contexto. Ela entende os olhares que recebi, e as conversas são encurtadas porque experimentamos as mesmas sensações. O melhor é que conseguimos não nos lembrar disso apenas na dor, mas também com muito humor e doçura. Rir junto é algo que nos fortalece. É uma luz, e ela é um alento neste mundo tão desigual.

Então, "empoderar" é uma palavra que, como "sororidade" (aliança entre mulheres com base em empatia e companheirismo) e "representatividade", ainda vai nos ajudar a encontrar novas regras de convivência, claro que gerando muitos debates, conflitos e buscas de novos significados para relações já estabelecidas. Um grande desafio, mas que nesse momento me instiga e me convida mais uma vez a entender quem somos e como reagimos aos movimentos. Já compreendi que tudo isso ainda está em formação, num processo contínuo de ressignificação. Enquanto escrevo estas palavras, "empoderamento", "representatividade" e outros termos estão sendo absorvidos e às vezes utilizados fora de seu contexto inicial. Faz parte do jogo? A publicidade, os programas de TV, entendendo que há um público ávido por essa discussão, agora falam essas palavras o tempo todo. E muitas vezes as pessoas pensam mais na simbologia das palavras do que naquilo que realmente precisa acontecer para alguém ser, de fato, empoderado. Ganhar autoestima, ter coragem, compartilhar poderes e informações são lados importantes, pois é também disso que se trata empoderar-se. São conquistas árduas, que demandam força interior e uma vontade coletiva imensa. Que fique em nós uma constante reflexão: estamos realmente influenciando a opinião pública e os lugares de decisão, de poder? Estamos realmente empoderados? O que é empoderar-se? Qual a dimensão das mudanças simbólicas e como elas podem ser um disparador de mudanças mais complexas? E a representatividade? Ela dá conta das individualidades?

117

Curioso observar o empoderamento da Taís, a opção de se posicionar mais publicamente, escrever textos e divulgá-los nas redes sociais. A voz de que ela faz uso agora eu tive a oportunidade de experimentar no teatro quando vivi Zumbi dos Palmares (em *Zumbi*, de 1995) e Matias, de *Cabaré da raça* (1997). O fato de pensar nessas questões desde cedo me deu a sensação, muitas vezes, de que eu estava saciado dessa discussão e de que tinha que encontrar novos caminhos.

Tenho que dizer que alguns discursos ligados a afetividade me trazem certa preocupação, principalmente quando não buscam a parceria. A autoafirmação é importantíssima, ainda mais depois de tanto silenciamento e opressão. Mas me animo mais quando encontro uma afirmação compartilhada, em que um potencializa e fortalece o outro. Temos que ser cautelosos para não assumir os códigos do opressor. Vejo — em algumas poucas ocasiões, é verdade — um discurso que, para se fazer ouvir, aponta o parceiro como menor e exige dele uma atitude de submissão. Ainda que sempre opte pelo caminho do bom humor e do afeto, nesses momentos ligo meu alerta. Incentivo que se beijem os pés do outro, sim, mas só se isso for um ato de amor, e não de submissão. Vejam bem, também entendo que um discurso radical às vezes é uma provocação contra aqueles que tratam a mulher sem o devido respeito. Mas a fronteira entre provocar para gerar a reflexão e a mudança de comportamento e assumir uma postura opressora pode ser tênue. Vamos ficar vigilantes.

Algumas pessoas dizem que o homem negro busca uma mulher branca para se autoafirmar ou porque é muito doloroso ser um casal negro no mundo de hoje. Há também a teoria de que o negro, se está com uma mulher branca, faz isso para se sentir superior. Essa atitude estaria presente na vida da maioria dos jogadores de futebol negros, por exemplo, e isso é quase sempre malvisto pelos movimentos contra o racismo. Esses são traços complexos e, com certeza, oferecem um campo vasto de estudo. Claudete Alves escreveu um livro sobre a solidão da mulher negra diante do preterimento pelo homem negro na cidade de São Paulo. *Virou regra?** — esse é o título — demonstra que a preferência de homens negros por mulheres brancas existe e não se dá apenas nos estratos em que o homem negro ascendeu economicamente, mas também nas regiões periféricas. Para Claudete, esse fenômeno é uma proteção do homem negro e resultado do fato de que toda sua bagagem histórica e cultural o levou a negar suas identidades. Se a mulher negra, na mesma proporção, preterisse o homem negro, teríamos um equilíbrio. Mas é o contrário que se dá. A pesquisa de campo de Claudete demonstrou que a mulher negra tem sua preferência afetivo-sexual dentro do seu próprio grupo étnico. Isso demonstra uma atitude de resistência que permeou toda a historicidade da mulher negra, resistência que fez com que ela preservasse as identidades negras mais do que o homem negro. Não sei se os números que Claudete levantou ainda são válidos. O livro foi publicado em 2010, e, se acrescentarmos o tempo de redação e pesquisa, acredito que esses dados tenham pelo menos uns sete anos.

O trabalho de Claudete foi pioneiro. Ela discutiu as relações afetivas entre homens e mulheres negros num momento em que não havia, pelo menos de um modo geral, interesse por esse tema. E ela levanta discussões muito ricas. Por exemplo, nas entrevistas que fez, a maior parte das mulheres afirmou que depois da "era Pelé" os relacionamentos entre homens negros e mulheres brancas aumentaram muito. Um dos motivos seria o papel da mídia, que criou um referencial do que seria afetiva e sexualmente desejável

* Claudete Alves, *Virou regra?* São Paulo: Scortecci, 2010.

para os homens e meninos negros. Quando o menino começava a consumir pornografia, o que ele encontrava como objetos de desejo eram as brancas, as mulheres loiras. Mas o que preocupa mesmo a Claudete é como isso impactou a mulher negra, que, ao observar o carinho com que o homem negro trata as mulheres brancas, se ressente. E esse processo não foi racionalizado de imediato: o ressentimento foi se formando aos poucos, pelo conjunto de atitudes cordiais que o homem negro tem com as brancas, mas não tem com as negras.

E se você acha que essa discussão fica restrita ao campo dos relacionamentos amorosos, se engana. Li outro dia um artigo da Mariana Lemos[*] que mostra que é impossível desconectar as escolhas feitas nessa área do ambiente em que vivemos. A solidão da mulher negra, a sensação constante de ser preterida por outra, gera impactos psicológicos imensos que afetam as amizades, o ambiente de trabalho, as relações familiares. Imagina a baixa autoestima que isso não provoca!

Como diz minha avó, tá pensando que pipoca é fruta? Disso podem nascer mulheres retraídas demais, depressivas, ansiosas, com maior propensão ao uso excessivo de álcool e outras drogas e, olhem só, mais vulneráveis a relacionamentos abusivos. A Marina traz dados da última Pesquisa Nacional de Saúde do IBGE, que diz que as mulheres negras representam 60% das mulheres agredidas por pessoas conhecidas. O Mapa da Violência 2015, realizado pela Faculdade Latino-Americana de Ciências Sociais, informa que a violência contra mulheres negras cresceu mais de 190% entre 2003 e 2013.

[*] "A afetividade das mulheres negras". Disponível em: ‹lugardemulher.com.br/a-afetividade-das-mulheres-negras/›. Acesso em: 28 fev. 2016.

Como estão as relações de afeto nos nossos lares? Confesso que estou pensando, agora, se devo continuar com esse assunto. Não sei se tenho habilidade, não sei se tenho maturidade e não sei se consigo ter distanciamento suficiente para falar desse tema de maneira adequada. Provavelmente algum estudioso falaria muito melhor sobre as relações entre afetividade e população negra do que eu, mas já que estamos aqui, por que não?

Que tal pensarmos sobre as demonstrações de afeto entre o homem negro e a mulher negra, o pai negro e os filhos negros? Isso nos revelaria algo sobre os alicerces e as armadilhas do racismo? Meu lugar de estudo para isso tem sido o *Espelho*. Sempre que possível trago esse assunto à pauta. Sempre pergunto de onde é a família dos meus entrevistados, de onde eles vieram. Muitos depoimentos retratam famílias sorridentes, em que o toque e o abraço são constantes. No Nordeste, por exemplo, é comum uma demonstração de afeto que eu acho das mais lindas. "Me dê um cheiro!" Sempre sorrio alegremente quando alguém é recebido (ou me recebe) com essa expressão. Acho íntimo e afetuoso, é um traço bonito da nossa cultura. O fato é que já escutei as mais variadas respostas, mas tem uma coisa que sempre me intrigou: o momento de descrição desse afeto. E isso fez com que eu pensasse na minha própria família e na minha construção do afeto.

Na minha infância, a injeção de autoestima que recebi em casa foi muito importante. Uma de minhas primeiras recordações de "Opa, tem algo errado aqui" foi a dificuldade de conseguir uma namorada durante a adolescência. Já contei que sempre fui o melhor amigo, o amigo engraçado, quase o bichinho de estimação da turma, mas nunca objeto de desejo, certo? E de onde vinha isso? Do ambiente em que eu estudava, certamente — uma escola particular, de maioria branca. Ou seja, quando saí do campo familiar, não encontrei esse afeto entre homem e mulher.

Quando cursei o ensino médio, em uma escola pública com muito mais negros e negras, consegui me relacionar com mais facilidade, inclusive porque já estava no teatro e tinha descoberto outros mecanismos de sedução. E a autoestima também havia melhorado bastante. Claro que na idade adulta isso foi muito mais fácil, até porque eu já estava em outra situação.

Voltando à minha infância e às minhas recordações de afeto: lembro que meu pai me dava poucos abraços. Até havia palavras de afeto e de incentivo, mas o toque e o contato físico eu tive poucas vezes, e na maioria delas em festas comemorativas.

Quanto ao meu pai, eu atribuo seu jeito a uma grande timidez, que hoje já foi superada. Não é o caso de muitas famílias negras, em que pais e mães adotam uma postura mais dura, menos afetuosa, por se preocuparem em preparar seus filhos para um mundo que não os tratará com condescendência. Que sociedade é essa que forma pessoas que têm de criar dentro de si uma espécie de amor embrutecido para que o objeto de seu amor não sucumba, sofra menos, resista? Esse é, na verdade, mais um entre tantos mecanismos de defesa.

Mas afeto é potência.

Olhar para o outro com desejo, potencializar o afeto por meio do toque, tudo isso traz autoestima e conforto. A morte pela solidão, por não receber um olhar de carinho, de desejo, é trágica. Eu me policio a cada dia para criar meus filhos com mais toque, com mais afeto e com mais consciência. Hoje há várias iniciativas da juventude negra que sonha e luta para ser dona do seu nariz e forma uma militância que vai além da luta pela consciência política — ela exige seus direitos, mas também sonha em ter afeto, ser desejada e formar parcerias, inclusive em relacionamentos inter-raciais. É uma luz no fim do túnel que torço para que seja permanente e cada vez mais eficiente. É militância também cuidar de si, buscar harmonia nas relações.

É muito difícil ver representações em que o amor negro é louvado e expressado como algo bonito. Não se vê essa expressão do amor na televisão, nas revistas, na publicidade, nas histórias dos livros. E isso fica gravado em nosso inconsciente, influencia a maneira como a gente se mostra para o mundo. Será que existe vergonha em demonstrar afeto publicamente por uma questão de limite e respeito às convenções sociais ou porque esteticamente isso não é estimulado? Claro que isso não é uma ciência exata, mas o que uma criança negra aprende a desejar desde cedo?

Então, qual é o nosso compromisso? Eu, como homem negro, procuro me vigiar todos os dias, pensando se minhas ações ou atitudes estão em algum momento desrespeitando ou desvalorizando a minha parceira. Como posso oferecer à minha filha os instrumentos para que ela se torne uma mulher independente e possa escolher uma boa parceria? E para que meu filho também possa encontrar boas parcerias em suas amizades, seu amor, seu afeto de casal? Essa autovigilância é eterna, porque os códigos sociais e nossa cultura estão muitas vezes afirmando o contrário. Alguns costumes precisam ser quebrados.

Eu, como amigo, te digo: trate bem o seu amor.*

---

* Na verdade, a frase que encerrava este capítulo era: "Eu, como amigo, te digo: cuide bem de sua preta". Mas daí surgiu uma ponderação, por causa do sentido, implícito, de que essa mulher precisaria de um homem para cuidar dela. Devemos pensar nesse costume do homem achar que tratar a mulher em pé de igualdade é, na verdade, cuidar dela. Eu não disse a frase com esse sentido ou intenção, mas o verbo "cuidar" acabou abrindo espaço para essa interpretação. Foi com dor que abri mão da frase. Tá vendo como não é fácil?

Quando fiquei sem resposta

Já estamos tão íntimos que me sinto à vontade para continuar falando não das minhas certezas, mas das minhas dúvidas. Sempre me pergunto se vale a pena, se estou certo na minha postura com relação à luta contra o racismo. Hoje, depois de tanto conviver com o tema, pensei que não seria mais surpreendido. Mas toda vez que acho que se encontrou a estratégia certa, algo diferente aparece.

"O topo da montanha" é o nome do último discurso do reverendo Martin Luther King e também o nome do espetáculo da autora norte-americana Katori Hall que eu e Taís Araújo decidimos montar no teatro. A peça, que fala sobre as últimas horas de vida do reverendo e cria um encontro ficcional dele com a camareira do hotel onde foi assassinado, se tornou um grande sucesso de público e de crítica. Os espectadores vão do riso escancarado ao choro compulsivo. Para mim, esse trabalho representa um momento de maturidade meu como ator, diretor e produtor, no meu jeito de usar a minha história e a história do meu povo para fazer entretenimento de qualidade, que encante e ao mesmo tempo leve uma mensagem. Talvez, quando você estiver lendo este livro, eu esteja no declínio da minha carreira

— coisa que acontece com qualquer artista, qualquer ator —, ou já seja uma caveirinha (e não pó, pois não quero ser cremado) e ninguém mais se interesse pelo que penso ou fiz. Mas peço a você que procure nos arquivos ou ouça quem teve a oportunidade de assistir à peça. Porque eu ajo não por uma demanda social, mas por uma demanda do coração. Entendo que cada passo deve ser dado de uma vez, entendo que cada tipo de público deve ser conquistado de uma maneira. Para mim, o importante é agregar valores. Bem, dito isso, o fato é que após nove meses em cartaz decidimos fazer um debate no fim da sessão.

Além das centenas de mensagens nas redes sociais e da sessão de fotos no foyer do teatro, onde rapidamente o público nos passa suas impressões, nós raramente temos a oportunidade de nos aprofundar e analisar as reações e a opinião do público. Com certeza todos pareciam sair da peça tocados, estimulados a abraçar a causa da questão racial, encantados com a obra. Mas não sabíamos exatamente de que maneira o espetáculo mexia com cada um. No debate, sentimos uma plateia interessada e comovida. Quero refletir sobre três depoimentos que me deixaram sem resposta.

Uma mulher branca na faixa dos quarenta anos se levantou e começou a dizer que "Nós deveríamos fazer isso", que "Precisávamos daquilo outro" e, por fim, determinou: "Lázaro, você vai...".

Em nenhum momento ela se colocou como parte do processo, e mais, ela falava com tanta autoridade sobre o *meu* querer e o *meu* dever que parecia minha dona. Bem, aquilo era um problema meu. Ela é que não fazia parte daquele processo. E a solução, que ela parecia saber qual era, estava ligada ao meu jeito de ser e de agir. Silenciosamente comecei a me lembrar das várias vezes em que um branco, sem nem notar, se portou como dono do meu querer. Sem nenhuma cerimônia, muitas vezes, brancos se comportaram como superiores, se atribuindo uma autoridade que nunca foi dada por mim... Mas eles se "sabiam" no direito. O que me faz pensar como a cor da pele é, sim, uma espécie de patrimônio, que te faz conquistar inclusive postos e vozes de comando — não importa se um branco dá a você um coñselho amistoso ou uma ordem, é ele que está no controle.

Lembrei as inúmeras vezes em que senti que alguém estava me fazendo entender que eu tinha que pedir licença ou até mesmo agradecer por estar num lugar que, ao que parece, não me pertencia. Esse traço do racismo brasileiro é tão perverso. E é muito difícil de comprovar, pois está numa frase enviesada, num olhar dissimulado e em ações que se tornaram naturais.

Voltei o pensamento para a sala do teatro, para a mulher branca, e nada respondi. Continuei pensando. O que devo fazer para que meus filhos se saibam donos do seu querer e do seu corpo? Quando uma criança negra aprende que ela é dona do seu corpo e dos seus desejos? E mais... Onde encontrarei referências de empreendedorismo, por exemplo, em que o sujeito negro não é o comandado? O mundo hoje vive as regras do mercado, e uma criança negra que não aprender a lidar com isso terá muito pouco ou mesmo nada. Como ensinarei meus filhos a serem capazes de gerir a própria vida, incluindo aí acesso à representação política e comunitária e, por que não, à administração econômica? Eles não podem permitir, nem se acostumar, a ter gente falando por eles. Três palavras vêm à minha mente: informação, afirmação e corpo. Porque isso passa pelo corpo, um corpo que se sente à vontade em qualquer ambiente e que sente pertencimento onde quer que esteja.

Acordo de volta para o debate com a pergunta de uma jovem negra: o que vocês têm feito pela comunidade negra? Suspiro fundo. Falo do poder e do valor da arte nessa luta. Falo do *Espelho* e de tudo o que ele representa. Taís fala sobre a autoestima da mulher negra e, no fim, falamos das doações que fazemos para instituições ligadas a educação, saúde e cultura, das campanhas que apoiamos, e logo me sinto constrangido, pois aquilo me soa um pouco como exibicionismo para que ela compreenda como lidamos com a questão. E mais uma vez fico na dúvida se essa foi a melhor resposta.

Encerramos o debate.

Um rapaz negro então me chamou num canto e disse: "Eu sou negro, sou chefe no meu trabalho, todos os meus chefiados são brancos e nunca me senti discriminado. Eu estou aqui porque soube aproveitar todas as oportunidades. Muitas vezes o problema é que o negro não sabe aproveitar as oportunidades".

O que dizer? Na hora, só consegui dizer "Parabéns!". Estava exausto e começando a ter sérias dúvidas se de fato havia acontecido uma transformação tão grande da situação do negro no Brasil nos últimos anos. E mais, se eu tinha a obrigação ou a capacidade de fornecer explicações que contemplassem e explicassem o buraco em que estávamos. Decidi não fazer outro debate tão cedo, pois sabia que me faltariam respostas e a rasteira ao ouvir certas coisas poderia ser desestimulante demais. É preciso ter forças para seguir. Essa dor eu conheço muito bem, pois essa não foi a primeira vez em que me vi sem respostas.

É preciso paciência e sapiência para explicar o que muitas vezes parece óbvio.

Agir afirmativamente. Onde nasce isso em nós? Hoje vejo que, em mim, essa necessidade começou sem que eu me desse conta. Às vezes, uma pequena lembrança ou o simbolismo de um gesto ativam esse caminho. Carlos Alberto Caó é sobrinho-neto de Lindú, marido de Dindinha, a tia que me criou e que já apresentei a vocês. Sempre que ele ia a nossa casa, no bairro da Federação, Dindinha nos mandava para o quarto. Ela o tratava de maneira muito festiva, mas não permitia que escutássemos suas conversas com ele. Eu nunca entendi o porquê, mas, na minha memória, havia um homem negro de terno ali em nossa casa e ele era muito bem tratado pelos adultos e citado sempre como uma referência, um exemplo a ser seguido. Anos depois, meu pai me contou uma história que eu não conhecia, mas sinto que, de uma forma talvez até mística, influenciou minha relação com a afirmação da minha origem e a vontade de agir pela igualdade.

Existia um buraco atrás do fogão de Dindinha. Sempre pensei que, por ser uma casa mais humilde, simplesmente o tinham deixado ali — resquício de uma construção malfeita. Em 2013, meu pai me contou que aquele buraco era um lugar para se esconder da polícia política, e que Carlos Alberto Caó (que na época da ditadura ainda morava na Bahia) o usava de vez em quando. Aquela abertura atrás do fogão não era um vestígio de pobreza, mas de luta.

O buraco em que tantas vezes brinquei tinha sido o refúgio do homem que um dia criaria a Lei Caó. Dindinha nunca tocou no assunto, mas eu intuo que quando ele chegava lá nós íamos para outro lugar para não ouvir as conversas, não sabermos de nada e assim não nos tornarmos testemunhas. Na minha lembrança, o Caó é um pedaço de rosto junto com meio terno visto pela fresta de uma porta. Mas ele é muito mais. Eu sentia o respeito e a reverência com que era tratado o homem responsável pela lei que criminaliza o racismo. A imagem distorcida de uma fresta se gravou na minha memória de um jeito cristalino. No fundo, no fundo, é por isso que falamos tanto da importância de se representar o negro na televisão: porque a gente sabe a força e o poder que a imagem tem, sabe como é importante ver negros em postos de comando, como é bom ver outras profissões exploradas por negros, como é bom ver histórias positivas e exemplos de vitórias, como é importante que os traços negroides e nossa origem africana sejam celebrados, sim, para aceitarmos quem nós somos. Tudo é simbólico. O símbolo fica no coração e transforma uma pessoa, assim como me transformou. Talvez essa fresta (mais uma fresta de quarto), essa minha visão do homem negro de terno, tenha sido o primeiro sinal de que é possível ir da fresta para uma porta aberta e falar para o mundo sobre as nossas dores, as nossas virtudes e as nossas lutas. Resistir é preciso, assim como reexistir. Novas formas, caminhos, caras e vozes.

A ação afirmativa está conseguindo mudar a legislação no Brasil. Não como estratagema para reafirmar classificações raciais a serviço da segregação, como alguns teimam em querer rotular, mas para remover obstáculos e encurtar distâncias entre brancos e negros no acesso aos direitos econômicos, educacionais, culturais e sociais.

Mas há diferença entre o legal e o real. Nunca foi e não será por meio de leis que promoveremos mudanças estruturais no país, apesar de a legislação ser uma ferramenta importante. Há que se realizar amplos processos de reestruturação do Estado, que resultem em desconcentração da renda e elevação da qualidade da escola pública em todos os níveis para formar quadros capazes de responder ao novo ciclo de desenvolvimento da nação; é preciso criar oportunidades para todos e eliminar as desigualdades salariais baseadas em cor e gênero. Não podemos mais aceitar a democracia racial como retórica e nem as desigualdades entre homens e mulheres, pobres e abastados. O Estado brasileiro deve se lançar ao desafio da refundação da unidade nacional, com valorização da diversidade e com a efetiva consagração dos direitos de todos.

Mas, para além do Estado, precisamos reeducar o nosso olhar, desacostumar a nossa vista. Não é natural as pessoas de tez mais escura serem maioria nos presídios, favelas e manicômios. Não é natural que (o dado estarrecedor que darei agora é da Anistia Internacional*), dos 30 mil jovens mortos no Brasil, 77% sejam negros. Segundo números levantados pelo *Atlas da violência 2016*, divulgado pelo Ipea (Instituto de Pesquisa Econômica Aplicada), entre 2004 e 2014 houve um crescimento nas taxas de homicídios de afrodescendentes (18,2%) e uma diminuição nas taxas relativas a indivíduos não negros. Segundo o relatório,

um indivíduo afrodescendente possui probabilidade significativamente maior de sofrer homicídio no Brasil, quando comparado a outros indivíduos. [...] essas diferenças são maiores no período da juventude (entre 15 e 29 anos). Aos 21 anos de idade, quando há o pico das chances de uma pessoa sofrer homicídio no Brasil, pretos e pardos possuem 147% a mais de chances de ser vitimados por homicídios, em relação a indivíduos brancos, amarelos e indígenas.**

Precisamos entender as verdadeiras razões por trás desses dados. Acho que não preciso dizer mais nada, certo?

As rasteiras raciais vêm sempre de imprevisto. Explico. Rasteira racial pra mim é quando algo inesperado ligado à raça (sociologicamente falando, não geneticamente) acontece. Podemos

* Disponível em: <https://anistia.org.br/campanhas/jovemnegrovivo/>. Acesso em: 22 dez. 2016.
** Ver o item 5 (Homicídios de afrodescendentes, p. 5). Disponível em: <www.ipea.gov.br/portal/images/stories/PDFs/nota_tecnica/160322_nt_17_atlas_da_violencia_2016_finalizado.pdf>. Acesso em: 20 nov. 2016.

seguir? Uma dessas rasteiras que me inquieta até hoje tomei num simples passeio pela Lagoa Rodrigo de Freitas, no Rio de Janeiro, com meu filho João, que tinha quatro anos na época. Entre conversas e risadas caminhávamos observando a paisagem e decidimos tomar uma água de coco. Foi quando avistamos dois adolescentes negros altos, magros e sorridentes. Eles estavam deitados no chão, no gramado, batendo papo e admirando a paisagem, assim como nós. Usavam trajes comuns para um adolescente — um deles, lembro bem, vestia calça jeans e camiseta azul e o outro estava de bermuda e camisa cinza. Ambos com mochilas. O que faziam? Curtiam aquele dia bonito e a tranquilidade da Lagoa.

João comentou comigo: "Olha, pai, que delícia, eles ali curtindo a natureza". Acho lindo ele se sentir o dono dessa cidade, admirando com empolgação suas belezas. Acho lindo como ele está crescendo e sigo adiante. Tomamos a água de coco, caminhamos até o parquinho, corri com ele — ele mais do que eu, é claro —, e tome sorvete e bagunça. Uma hora depois, a criança cheia de areia, o pai esbaforido, voltamos pra casa. Logo adiante, estavam os dois garotos que vimos na ida. Só que agora estavam sendo revistados com certa agressividade por dois policiais. Um deles me olhou e deu uma piscadela, como quem diz, "Estou fazendo um bom trabalho". João me perguntou: "Eles estão brincando, pai?". Meu peito apertou com a inocência do meu João. Não soube o que dizer pra ele. Não me senti capaz. Daqui a alguns anos, ele pode passar exatamente pelo mesmo constrangimento apenas por ser negro. Antes que você pergunte, já digo que o fato de ser filho de um ator conhecido não o tornará imune. Mas fiquei em silêncio, fingi não ter ouvido a pergunta.

Minha resposta só veio um tempo depois, com um mantra criado por mim e por Taís para nossos filhos. Dizemos sempre pra eles: "Meu/minha filho/ a, você é dono/a do seu corpo. Meu/

131

minha filho/a, cuide do seu corpo". E a cada vírgula, dizemos: "Te amo".

Voltando agora a *O topo da montanha*, penso: "Será que um dia o discurso de Martin Luther King fará total sentido para mim?".

Não sei o que acontecerá agora. Temos dias difíceis pela frente. Mas isso realmente não me importa, agora, porque eu estive no topo da montanha. E não me importo. Como qualquer pessoa, eu gostaria de viver uma vida longa. A longevidade tem seu lugar. Mas não estou preocupado com isso agora. Desejo apenas fazer a vontade de Deus. E Ele me permitiu subir ao topo da montanha. Olhei ao redor e contemplei a Terra Prometida. Posso não chegar até lá com vocês. Mas quero que saibam que nós, como povo, chegaremos à Terra Prometida. E estou feliz esta noite, nada me preocupa. Não temo homem algum. Meus olhos viram a glória da chegada do Senhor!*

---

* "Well, I don't know what will happen now. We've got some difficult days ahead. But it really doesn't matter with me now, because I've been to the mountaintop. And I don't mind. Like anybody, I would like to live a long life. Longevity has its place. But I'm not concerned about that now. I just want to do God's will. And He's allowed me to go up to the mountain. And I've looked over. And I've seen the Promised Land. I may not get there with you. But I want you to know tonight, that we, as a people, will get to the Promised Land! And so I'm happy, tonight. I'm not worried about anything. I'm not fearing any man! Mine eyes have seen the glory of the coming of the Lord!" (trecho do último discurso de Martin Luther King, em 3 de abril de 1968, às vésperas de seu assassinato. Retirado de *As palavras de Martin Luther King*, seleção e introdução de Coretta Scott King, tradução de Maria Luiza X. de A. Borges. Rio de Janeiro: Zahar, 2009).

O filtro

Pode ser um peso em alguns momentos viver constantemente com um filtro para possibilitar que alguém perceba o mundo por outro ponto de vista. Tem valido a pena exercitar a todo momento essa catequese estratégica, mas às vezes o café é passado num guardanapo muito mais fino que o ideal para o preparo da bebida. Tem pó, acabou o filtro, mas queremos sorver o líquido. Uso um guardanapo de papel ou deixo o café pra depois?

Um desses momentos aconteceu em 2014. Verão. Estava com amigos numa casa de praia em Búzios. A comida estava boa, a poltrona onde me aboletei era confortável. A bebida era farta e variada, o amor era intenso, estávamos eu, Taís e quatro amigos brancos. Muitas gargalhadas e planos e comemorações. Estava tudo bem.

Sabe quando tudo está tão bem que seu corpo relaxa como se estivesse numa jangada circundando uma ilha deserta onde ninguém pode vê-lo? Portanto, ninguém o vigia. Você se sente tão aconchegado que dá vontade de abraçar todo mundo, inclusive com a verdade.

Pois é... Estava eu me sentindo amado e embriagado. Fiquei um tempo em silêncio enquanto eles contavam a história de um conhecido que fora à Tailândia e voltara cheio de novidades. No meu silêncio, lembrei-me de um homem branco de uns trinta e poucos anos que certa vez me abordou numa saída de supermercado. Ele havia percebido como a cor da pele dele e a classe social à qual ele pertencia eram um patrimônio. Ele havia terminado de ler *O olho mais azul** e tinha entendido tudo. Do silêncio, eu explodi num grito que assustou a todos.

Como um vômito descontrolado e ininterrupto, gritei num só fôlego:

"Leiam *O olho mais azul*! Vocês têm que ler *O olho mais azul*!

Cor da pele é patrimônio, nascer com a pele clara e o olho claro dá aos brancos um patrimônio que nós não temos.

Não digo isso porque não sei o valor que temos ou podemos ter, mas porque há um mundo que diz que não valemos tanto assim.

Vocês, meus amados amigos brancos que tanto me amam, precisam saber o que significa esse patrimônio, precisam saber mais sobre nós, têm que olhar o nosso precipício e a nossa luz.

Sim, nós somos iguais, mas também não somos iguais. E vocês precisam assumir esse compromisso de, juntos, encontrarmos um caminho.

---

* Toni Morrison foi a primeira mulher negra a ganhar o Nobel de Literatura, em 1993, e escreveu *O olho mais azul* entre os anos de 1962 e de 1965 (Toni Morrison, *O olho mais azul*. Tradução de Manoel Paulo Ferreira. São Paulo: Companhia das Letras, 1993).

Não é possível que não haja um caminho! Tem que haver um caminho! Tem que existir um novo pensar, um novo formar, um novo amar.

Por que é tão difícil?

Por que vocês não enxergam?

Por que vocês não nos escutam?

Por que não têm interesse em nos escutar?

Por que, quando tocamos nesse assunto, já na segunda frase vejo suas expressões me dizerem claramente que estão desesperados, buscando alguma frase feita para encerrar o assunto? Sim, eu reconheço esse desejo em vocês, sei que estão esperando a minha pausa.

Maldita pausa.

Quisera eu ter fôlego para não dar pausa nenhuma e inundar a sala e a mente de vocês com todas as palavras que sei e as que me faltam também.

Meus amados amigos brancos, vocês têm, sim, que pensar muito sobre isso ao educar seus filhos. Afinal, eles têm que ter o compromisso de tornar toda essa merda um lugar um pouco melhor. Têm que saber que tem gente que recebe tapa na cara da polícia com dez, doze anos de idade, só por uma suspeita.

É pouco? Você acha mesmo pouco? Você acha mesmo lógico?

Tem gente que, só por ter as características que tem, é considerada de menos valor.

O seu filho, que é branco, não experimenta essa sensação.

E isso molda o ser humano.

O olhar molda o ser humano.

Mas, querem saber, meus amigos? Vocês, que me amam, eu nem sei se queria que soubessem tanto mais da minha alma. Não sei como vocês me olharão a partir daí.

Fico na dúvida se isso não ativaria uma culpa que faria com que nossa amizade não fosse como é.

Sei lá. Não sei. Querem saber?

Leiam Toni Morrison, leiam *O olho mais azul*".

Todos se calaram. Dei um último gole no vinho chileno. Era um carménère. Gostei. Fui ao banheiro, esvaziei a bexiga, fui dormir e nunca mais toquei no assunto.

A roda

O humor está em mim, às vezes como estratégia para ser escutado, muitas vezes como camuflagem para alguma dor ou desconforto. Me recordo de uma vez em que estava numa roda de novos conhecidos e uma jovem negra, que não lembro quem era, me observava silenciosamente. Vez por outra eu soltava uma piada e isso fazia com que tivesse a atenção de todos. Numa das minhas pausas, ela lançou um "Sei bem como é isso, piada o tempo todo. Eu também era assim quando adolescente. Era a melhor amiga engraçada. Você estudou em escola particular e era o único preto, não é?". E saiu rindo. Mas nem eu, nem os que estavam na roda achamos graça. Pelo contrário, me senti nu.

Será que o humor é sempre a minha saída? E eu me pergunto (e provavelmente também você, que está viajando comigo): e a raiva, onde fica?

Ao escrever este livro, tive momentos de muita dor. Fugia do assunto, lia outros textos. É tudo muito solitário. A solidão do encontro com o teclado do computador faz você olhar inevitavelmente para seus buracos. Luto para não viver sob a demanda do racismo e dos racistas, e buscar diariamente estratégias de sobrevivência traz muitos pequenos machucados. Há tempos decidi que a minha raiva não poderia me paralisar. Ela tem que ser um motor para transformar.

É possível fazer isso sempre?

Ao me lembrar daquele passeio com meu filho na Lagoa, ao rever os dados que mostram a enorme violência social, educacional, sanitária, física etc. contra jovens negros, aparece a raiva, aquela que revira o interior. A cada pessoa que vê em mim um alento e que solicita meu ouvido para contar sua história de discriminação ou um olhar revoltado, e que no fundo está pedindo alguma orientação, eu sinto raiva. Porque sei que nenhuma resposta minha será suficiente.

Quantas vezes eu já pensei em socar alguém? Quantos gritos indignados eu dei ao ver ações preconceituosas em que o preconceituoso não percebeu como estava sendo danoso? Quanta vontade de chorar eu tive nas minhas conversas com Zebrinha — lembra do Zebrinha? Meu amigo, segundo pai, referência e professor (foi ele quem me apresentou Nina Simone, o balé Alvin Ailey e Clyde Morgan*). que com seu porte nobre de bailarino de primeira grandeza parece um rei poderoso, mas quando nos reunimos para conversar nos tornamos meninos e acabamos invariavelmente falando sobre como estamos com as mãos amarradas porque simplesmente não temos o poder econômico e emocional para mudar uma tragédia anunciada.

Às vezes me conforto no orgulho que tenho do meu pai Ivan, esse homem batalhador, honesto e doce, mas às vezes me vejo

---

* A cantora e pianista Nina Simone (1933-2003), nascida na Carolina do Norte (EUA), bastante conhecida por seu ativismo pelos direitos dos negros norte-americanos. O Alvin Ailey American Dance Theater, uma referência para o mundo da dança, fundado em 1958, em Nova York, e composto principalmente por dançarinos negros. O americano Clyde Morgan, dançarino, coreógrafo e membro da diretoria do afoxé Filhos de Gandhy.

tentando decifrá-lo para entender se ainda há algo por ser dito da sua história que seus silêncios não me permitiram ver. E isso dói. Quanto ódio verdadeiro senti ao ver mulheres e homens negros lindos sendo considerados algo menor e não desejável? Tive raiva quando, na época em que vivi o André Gurgel, em *Insensato Coração*, fui chamado de macaco. Odiei a mulher que, há menos de um ano (foi em 2016), em São Paulo, me confundiu com um ladrão e, depois que se deu conta do engano, disse que não entendia por que eu estava tão ofendido com a "confusão" dela. Mas essa raiva não me paralisa.

E busco a fé. A fé na possibilidade da reinvenção e na força criativa.

Estou chegando ao fim desta jornada e me vejo pensando em minha mãe não apenas como mãe, mas também como mulher negra. **A** mulher negra. A que não é prioridade, a que tem o menor salário, a menos valorizada...

Peço licença então para novamente falar com ela.

Como você conseguia manter seu otimismo? Como você conseguia manter aquele seu sorriso? Se você estivesse aqui eu te perguntaria qual é seu maior sonho. Você sonhava com algo mais, além do trabalho que tinha? Como seus amores te trataram? Você se sentia valorizada? Você sabia que era bonita? Eu te acho linda. Lembro muito da sua bochecha, da sua mão pequenininha me fazendo carinho.

Encontro aqui, após todo esse palavrório, uma questão inevitável. É bom ser negro no Brasil? Comecei a fazer essa pergunta em várias rodas de amigos e ouvi de tudo.

"Eu acho bom, pois temos uma alegria que é só nossa."

"Não é bom pra nada."

"Só é bom pra entrar em universidade com cotas."

"Hoje, o empoderamento feminino negro e a valorização da estética afro são símbolos de quanto é bom ser negro."

"Ah, mas isso depende." No que eu replico: "Depende de quê?". E a resposta: "Ah, depende. Não dá pra generalizar".

Sim, não dá pra generalizar. Afinal, não existe uma só regra para todos os negros. Até a afirmação de que nós, negros, somos ou sentimos de uma determinada maneira é excludente. Cada negro é um negro e cada experiência molda um indivíduo diferente. Ainda assim, vale a reflexão, pois algumas dores e dissabores são compartilhados por muitos. O que nos permite caminhar um pouco com a pergunta.

O que você entende por "bom"? Essa foi uma das primeiras respostas que recebi, quase invalidando a questão, pois evocar um parâmetro médio do que é "bom" é complicado e vários pontos de vista são necessários — desde a perspectiva econômica até a ideia subjetiva do que é ser feliz.

Como não sou um expert no assunto, só posso usar um parâmetro pessoal e, portanto, parcial. Mesmo este livro — tirando as vozes que evoquei para me ajudar — é um pouco prisioneiro de quem eu sou. Mas vamos tentar...

Usemos então como parâmetros a qualidade de vida — acesso a saúde, lazer, cultura e possibilidade de se potencializar e potencializar os talentos de sua família —, a qualidade das relações de afeto e a qualidade político-econômica, que envolve poder de compra, representatividade política, acesso a postos de comando e as redes de relações (que, sim, são muito importantes na nossa sociedade). Por fim, incluiria parâmetros ainda mais subjetivos, mas que fazem todo sentido para mim: são coisas como olhares livres de preconceitos ou reconhecimento de beleza nos traços físicos negros. E até mesmo conseguir reconhecer seus erros e defeitos para ter a possibilidade de corrigir a rota.

Bem, se usarmos esses parâmetros, estamos mal. Talvez de uma maneira irremediável.

Minha cabeça é imediatamente tomada por sentenças como "Preto não manda nem em escola de samba", só pra usar um estereótipo, e quem nunca ouviu uma variação de "Se você é negro, tem que se esforçar duas vezes mais para ser o melhor"? A crueldade dessa frase, que na maioria das vezes ouvimos de nossos próprios pares, é imensa e, para muitos, incompreensível (e eu diria mais, intransponível).

Crescer e viver com essa perspectiva nos tira a liberdade e representa um fardo para um filho negro que não tenha pais atentos para a busca do autoconhecimento e o equilíbrio. Viver num mundo onde raramente ou nunca se é o protagonista tira muito de nossas almas. Imagine o que é viver sempre à margem. Claro que existem as exceções, mas a regra, se você tiver um olhar mais atento, é outra. Tanto é que o que mais se diz ao falar da luta negra é da necessidade de resistir. Ter que resistir sem existir é simplesmente mais uma crueldade sem tamanho.

Pergunto, quando é que um branco se dá conta de que é branco?

Pensou?

No geral, a autopercepção da etnia branca não existe. O protagonismo é dos brancos, então sua condição de branco não é um assunto. Isso é o "normal".

Um negro se dá conta da sua etnia a cada olhar que recebe (de desconfiança, de surpresa, de repulsa, de pena) ao entrar em um lugar. A cada vez em que se procura e não se encontra. A cada apelido na escola, que sempre tem a ver com a cor e, geralmente, agregado a um valor negativo. A cada vez que não é considerado padrão de beleza e a cada vez que se vê calculando como deve se portar ou o que deve dizer, porque não sabe como será interpretado. A cada vez que observa como sua palavra é desconsiderada ou considerada equivocadamente. É nos pequenos incômodos, para muitos inexistentes, que nos damos conta de que não é mera coincidência sermos a maioria nos presídios, favelas e manicômios.

Fico imaginando que estratégias tenho que ensinar aos meus filhos para que resistam. E não estou sozinho. Uma pessoa negra de poucas posses está preocupada com o que vai acontecer quando o filho adolescente encontrar a polícia na rua. Um negro com boa situação financeira tem que lidar com o fato de seu filho ser um dos únicos negros da escola particular.

A cada pesquisa que sai com recorte racial minha dúvida sobre o futuro aumenta ainda mais. Mulheres negras recebem menos anestesia,* pois seriam mais resistentes à dor. A maioria das vítimas de assassinato entre os jovens é de negros. A diferença entre o salário de um homem branco e uma mulher negra, mesmo que executem a mesma função, é gigante.

E isso é natural. Muitos não se importam. Muitos dizem que os negros têm mania de se vitimizar. E muitos dizem que o preconceito é social e não racial. Então aí está a pergunta de volta para você pensar: é, foi ou será bom ser negro no Brasil?

---

* Há vários textos sobre esse tema, como o de Marcelo Rubens Paiva: "Pretas recebem menos anestesia" (*O Estado de S.Paulo*, 9 abr. 2011, Caderno 2) ou o artigo reproduzido na página do Instituto da Mulher Negra Geledés, "Grávidas pardas e negras recebem menos anestesia no parto". Disponível em: ‹www.geledes.org.br/gravidas-pardas-e-negras-recebem-menos-anestesia-no--parto/#gs.5nQDrQk›. Acesso em: 21 fev. 2017.

Me dá vontade de responder categoricamente: NÃO É, NUNCA FOI E NUNCA SERÁ.

Por uma questão de sobrevivência, imagino que tenhamos ganhado uma capacidade de subversão. Seria a mandinga, por exemplo, um dos jeitos de rompermos com a ordem estabelecida?

Me resta torcer e trabalhar para que o Brasil se torne um país onde todos sejam vistos como iguais, porque isso o tornará potente. Não se trata de reparação, mas de potencialização humana, social e econômica. Nas entrevistas que fiz para o *Espelho*, há uma palavra que invariavelmente é dita pelos entrevistados: resistência.

Existe uma beleza — eu confesso — nos símbolos de resistência negra. Da criação da capoeira passando pela feijoada e até mesmo o sincretismo. São artifícios para resistir, para obter o que lhes é negado.

Vale uma ida ao dicionário (no caso, fui ao Houaiss) para ver o significado de "resistir". Lá encontramos:

1 ato ou efeito de resistir;
2 propriedade de um corpo que reage contra a ação de outro corpo;
3 o que se opõe ao movimento de um corpo;
4 propriedade que apresentam alguns materiais de resistir a agentes mecânicos, físicos, químicos;
5 capacidade de suportar a fadiga, a fome, o esforço;
6 recusa a submeter-se à vontade de outrem, oposição, reação;
7 *Derivação: sentido figurado.* Aquilo que causa embaraço, que se opõe.

Agora pergunto: uma vida de resistência é uma vida plena?

E o futuro? Será que há um futuro melhor?

Para mim, esperar pelo que virá é paralisante. Isso nos impede de fazer, agora, o que podemos e devemos.

Para mim, o futuro é garantirmos que nossos filhos conseguirão responder de maneira plena, com saúde, liberdade e orgulho, a várias das questões que levantei aqui. Tô voltando pra casa. Esta viagem me deixou marcas. Com licença, viajante que me acompanha, preciso falar com ela: Mãe, que meus filhos, seus netos, João Vicente e Maria Antônia, tenham uma vida doce e generosa. Eles e a geração deles.

O que será que a pessoa que ler esta nossa conversa vai fazer com isso tudo? Para mim, o final deste capítulo seria esperançoso, terminaria com uma frase que aludiria à cultura negra com uma proposta de ação. Falar da capacidade de adaptação e transformação do negro me pareceu perfeito. Mas na hora de colocar o ponto final, encontrei um jovem negro de vinte anos que me disse nunca ter sido discriminado e que não aguentava mais ver denúncias sobre racismo na TV. Sei que ele é um caso isolado e que existe uma grande e relevante quantidade de jovens negros empoderados, buscando novos mecanismos de combate ao racismo. Então darei aqui o mesmo conselho que dei ao meu querido novo amigo.

Comece assistindo ao TED "O perigo da história única", de 2009, de Chimamanda Ngozi Adichie, depois veja o de Clint Smith, de 2014, intitulado "O perigo do silêncio". Sei que vocês sairão motivados, então passem para as leituras. Comecem por *O olho mais azul*, de Toni Morrison; passem para *A negação do Brasil*, de Joel Zito Araújo; se debrucem sobre *Um defeito de cor*, de Ana Maria Gonçalves. Não deixem de lado as novas vozes, como Fábio Kabral. Leiam seu texto sobre afrofuturismo — "todo esse movimento em transformar o presente, recriar o passado e projeto através da nossa própria ótica é, para mim, a definição de afrofuturismo".*

Sei que isso será só o começo, muito há para ler e assistir sobre o assunto.

Você também é parte da solução.

"Sim, mas buscar o quê?", o jovem amigo me perguntou.

Respondi:

Respeito aos nossos traços físicos.

Relações justas.

Ressignificar no nosso dia a dia tudo aquilo que nos diminui. Aquilo que é feito do mundo para conosco e de nós para nós mesmos.

Ser representado na política.

Ter informação, acima de tudo para sabermos o que houve e o que está por vir.

Tentar incansavelmente destruir a desunião que, muitos dizem, vem da diáspora.

Ganhar dinheiro, sim. O dinheiro tem que circular por mãos pretas. Culpa de ganhar dinheiro nunca fez muito sentido, jovem amigo. Para o bem e para o mal, o dinheiro é um propulsor. Ser bem remunerado e realizar seus projetos são, sim, metas importantes.

---

* Os TEDs estão disponíveis em: <www.ted.com/talks/chimamanda_adichie_the_danger_of_a_single_story?language=pt-br> e <www.ted.com/talks/clint_smith_the_danger_of_silence?language=pt>. Acessos em: 20 fev. 2017. Os livros de Toni Morrison e Ana Maria já foram citados aqui. Joel Zito Araújo, *A negação do Brasil: O negro na telenovela brasileira*. São Paulo: Senac-SP, 2000. Fábio Kabral, [Afrofuturismo] O futuro é negro — o passado e o presente também. Disponível em: <https://medium.com/@ka_bral/afrofuturismo-o-futuro--%C3%A9-negro-o-passado-e-o-presente-tamb%C3%A9m-8f0594d325d8#.e2vh8nccr>. Acesso em: 20 mar. 2017.

Buscar afeto por nós e por nossas questões.

Saber que ninguém é melhor do que nós e que nós também não somos melhores do que ninguém.

Talvez nada disso dê certo e só faça você sofrer mais. Sobra a alternativa de se fingir cego e surdo. Dizem que a ignorância é uma bênção.

É, mãe, quem sou eu? Quem somos nós? Eu me vejo em você, no meu pai, nos meus filhos, na minha mulher, na minha família. Nos que passaram por minha vida e até nos desconhecidos. Me vejo um pedaço de cada experiência vivida e nas ausências. O que não dá para explicar facilmente com frases sucintas ou pensamentos retos. Tudo é circular, como na cultura africana. Circular como a roda da capoeira ou a roda onde se escutam os griôs. E que bom que é assim.

E espero que você, ouvinte desconhecido, consiga desfrutar o prazer de estar aberto ao novo e ser curioso pelo que não conhece. Exercite o olhar, sem preconceber nada. E seja feliz.

Agradecimentos

Taís Araújo, Ivan Ramos, Célia Sacramento, Viviane Ramos, Dindinha Elenita, tia Alzira, Tania Rocha, Zebrinha, Fernanda Felisberto, Rafael Gabden, Rosania Sacramento, Wagner Moura, Vladimir Brichta, Marcelo Flores, Marcelo Borges, Raimundo Nonato, Ricardo Rodrigues, Fernanda Rodrigues, Josiney Ubiraci, Chico, Cristina Lopes, teatro Vila Velha, Silvia Rogar, Geiciane Oliveira, Olegária Conceição, Ademir Mathias, Mercedes Regina, Heloisa Helena, Pedro Sacramento, Gilbert Stefane, Maira Azevedo, Arnaldo Tolubara, Antonio Trigo, Sandra Almada, Isa Pessoa, Ana Maria Gonçalves, Bruno Porto, a todos os atores e integrantes do Bando de Teatro Olodum, Lilia Schwarcz, Daniela Duarte e a todos os moradores da Ilha do Paty.

1ª EDIÇÃO [2017] 3 reimpressões

ESTA OBRA FOI COMPOSTA PELA ABREU'S SYSTEM EM INES LIGHT
E IMPRESSA EM OFSETE PELA LIS GRÁFICA SOBRE PAPEL PÓLEN BOLD DA
SUZANO PAPEL E CELULOSE PARA A EDITORA SCHWARCZ EM JULHO DE 2017

A marca FSC® é a garantia de que a madeira utilizada na fabricação do
papel deste livro provém de florestas que foram gerenciadas de
maneira ambientalmente correta, socialmente justa e economicamente
viável, além de outras fontes de origem controlada.